Bernard Pivot

Le métier
de lire

Réponses à Pierre Nora
d'Apostrophes
à Bouillon de culture

Nouvelle édition augmentée

Gallimard

I
APOSTROPHES

Pour Monique

Avant-propos

Ce petit livre est né le plus gaiement du monde. J'avais demandé à Bernard Pivot, au début de l'année 1990, s'il accepterait de réserver au *Débat*, à l'occasion de la fin d'Apostrophes, un de ces entretiens approfondis dont la revue s'est fait une spécialité. Il me répondit qu'il était « très mauvais à l'oral » *(sic)*, mais que, si je ne reculais pas devant un va-et-vient de questions et de réponses écrites, on pouvait toujours essayer... Dès ses premiers courriers, j'ai été frappé par le soin, la fraîcheur et le plaisir communicatif de son écriture. Plaisir pour moi redoublé par la clandestinité de cette correspondance, puisque, incertains du résultat, nous nous étions promis le secret. Et du début janvier à fin mars, en le voyant ramer le vendredi soir, je m'amusais à l'imaginer le lendemain en train de plancher comme un écolier sur son devoir de week-end. Quelle revanche ! Apostrophés de toutes les semaines, unissez-vous ! Lequel d'entre vous, cuisiné par Pivot, n'a pas eu envie, après quinze ans d'esclavage, de retourner le projecteur contre le tyran et de le mettre à son tour sur le gril ? Je me sentais en porte-parole de la gent littéraire, en grand ordonnateur de la voracité publique, le Tacite de ce nouveau Néron du « pouvoir intellectuel », et, comme lui, « chargé de la vengeance des peuples ».

Il a bien fallu s'arrêter après trois mois, compte tenu des délais de fabrication. Mais nous nous étions tous les deux piqués au jeu et les questions se bousculaient. Avec une perversité que je peux lui avouer ici, j'en avais gardé tout un lot, massives, inévitables qu'à ses courts mots d'accompagnement je le sentais étonné de ne pas me voir lui poser. Quel éditeur n'aurait pas eu sa petite idée derrière la tête ? Pivot n'était pas homme à écrire ses Mémoires ; le genre avait sans doute pour lui quelque chose de trop solennel et l'on ne passe pas impunément, quand on a été le plus actif agent de la critique des livres, de l'autre côté de la barrière. En revanche, il n'était certainement pas inconscient de l'intérêt, et presque du devoir, qu'il y avait à laisser une trace réfléchie d'une expérience à tant d'égards unique. Unique dans l'histoire de la télévision, comme le fut par exemple, dans les années soixante pour le grand reportage, « Cinq colonnes à la une », magazine sur lequel travaillent aujourd'hui les analystes de l'histoire en direct. Unique dans le paysage éditorial et littéraire qu'elle a profondément contribué à orienter et à ordonner. Unique aussi dans l'histoire de la critique littéraire et journalistique où elle a marqué, après « Lecture pour tous », l'aboutissement, et peut-être la fin, en pleine époque d'extension de la télévision de service public, d'un genre commencé avec « La visite au grand écrivain », poursuivi avec les enquêtes littéraires de la fin du siècle dernier et les dialogues radiophoniques du nôtre. Unique enfin par sa durée, par sa formule, par son type de réalisation, par la personnalité de son animateur. Quand « L'esprit d'Apostrophes » eut paru en juin dans le numéro du dixième anniversaire du *Débat*, en même temps que, dans *Lire*, les souvenirs de « Quinze ans d'Apostrophes » sous forme d'abécédaire, il n'y a pas eu grande difficulté à persuader l'auteur que la moitié du travail était fait et que l'autre moitié l'aiderait au sevrage de sa drogue hebdomadaire.

Je ne me suis pas cru le plus mal placé pour le pousser à constituer ce document. En dehors du fait que notre rencontre, au départ piquante et inattendue, s'était révélée aussi agréable que féconde ; indépendamment de la flatteuse jalousie que j'espérais bien susciter chez quelques

11

confrères, des raisons moins frivoles m'animaient. Historien du présent, attentif à ce qu'il y a de plus contemporain dans le contemporain, donc au vécu de la télévision ; éditeur, et à ce titre passionné par la vie des livres ; ayant moi-même travaillé sur l'événement moderne, tel qu'il est forgé par les médias, sur le phénomène du best-seller, sur les intellectuels et plus généralement sur la mémoire et l'identité nationale, donc le rôle spécifique qu'y joue la tradition littéraire, comment aurais-je laissé passer cette occasion d'apporter une pierre, et non des moindres, à l'histoire culturelle de la France contemporaine ?

Car c'est la première fois, il faut le souligner, qu'un créateur d'émission télévisuelle — pas n'importe lequel, pas n'importe laquelle — se donne la peine de se pencher sur son propre travail, d'en analyser les retombées et les effets, d'en livrer les souvenirs et les dessous, d'en faire visiter le décor et les coulisses, de se soumettre lui-même à l'examen. Non par cette vanité médiatique à laquelle si peu de stars de la télévision ont su résister. Mais pour achever, par ce geste, l'effort de vraie démocratisation de la culture qui a soutenu son énergie pendant quinze ans et qui a fait, pour le meilleur et pour le pire, le caractère particulier de son émission. Bernard Pivot a écrit ces pages, j'en suis témoin, comme un compte rendu de charge. Il faut lui en être reconnaissant. Comme je ne doute pas que le téléspectateur d'hier, l'historien de demain et le lecteur d'aujourd'hui me sachent gré — puisque c'est ma seule contribution à son livre — d'avoir pensé que si je me débrouillais pour qu'Apostrophes, à moi, me soit contée, ils y prendraient, eux aussi, un plaisir extrême.

Pierre Nora

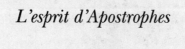

L'esprit d'Apostrophes

PIERRE NORA – Quelles sont les émissions qui vous ont, depuis quinze ans, laissé le plus grand souvenir ? Et si, comme je le pense, ce sont les tête-à-tête, cela ne vous fait-il pas rétrospectivement réfléchir à la formule de votre émission ?

BERNARD PIVOT – Vous avez raison de penser que mes tête-à-tête, filmés avec soin par Nicolas Ribowsky, avec Jouhandeau, Yourcenar, Cohen, Soljenitsyne, Lévi-Strauss, Dumézil, Simenon, Guilloux, Dolto, Jules Roy, François Jacob, Étiemble, etc., m'ont laissé le souvenir le plus présent, le plus fort. D'abord parce que l'enregistrement avait été fait à leur domicile — et j'en repartais avec l'âme du conquérant qui s'est glissé dans l'intimité du «grand homme», j'en repartais aussi avec le délicieux sentiment d'être un voleur et un prédateur. Ensuite parce que rien n'est plus excitant, pour le journaliste, pour l'écrivain et pour le téléspectateur, que le ping-pong des questions-réponses, jeu impossible sur une longue durée avec plusieurs personnes sur un plateau, surtout si l'on souhaite des interventions spontanées des uns et des autres.

Cependant, je maintiens que le succès d'Apostrophes vient de sa mise en scène thématique autour d'une table basse, en direct, dans un studio. Et que je n'ai pas eu tort de ne faire des tête-à-tête qu'exceptionnellement. Cinquante-deux tête-à-tête par an m'auraient obligé à y convier des auteurs qui ne méritaient pas autant d'attention et auraient donc banalisé la formule. C'est parce que ces entretiens chez l'écrivain étaient rares que, rompant avec le cours ordinaire d'Apostrophes, ils prenaient un relief particulier. Le public se disait alors : « Si Apostrophes s'est déplacée chez celui-là, c'est qu'il en vaut la peine ! » Et, de fait, c'étaient des créateurs avec qui, au soir de leur vie, on pouvait, plus d'une heure durant, tenter un bilan, esquisser un testament. D'ailleurs beaucoup ne sont plus de ce monde. De ce point de vue, un ratage impardonnable : Fernand Braudel — je ne me pressais pas, l'année prochaine, me disais-je, préparons bien l'affaire ; et l'Histoire a été plus vite avec Braudel que moi, optimiste lambin... Et une vraie réussite : l'entretien avec Nabokov, un an avant sa mort, seul document télévisé d'importance, en langue française, avec cet écrivain que je range parmi les dix meilleurs du siècle (ne me demandez pas les neuf autres). Mais voyez la puissance de l'ironie nabokovienne : l'émission a eu lieu en direct dans le studio d'Antenne 2 ; ce ne fut pas un vrai tête-à-tête puisque Gilles Lapouge était de la fête ; et toutes les questions et réponses avaient été préparées, Nabokov se contentant de lire son texte. C'était ça ou rien ! Ce fut ça — Nabokov admirable d'humour, d'élégance et de subtilité — et cette Apostrophes est probablement la plus précieuse de toutes.

L'autre raison qui justifiait la formule ordinaire d'Apostrophes, c'est que l'émission avait pour but d'informer les Français de l'actualité de la librairie et de les inciter à l'achat de livres et à la lecture. Un tête-à-tête chaque semaine, ce n'était que cinquante livres par an. Avec en moyenne cinq auteurs chaque vendredi, ce sont quelque deux cent cinquante livres qui bénéficiaient chaque année de la promotion d'Apostrophes. Tous ne la méritaient pas, bien sûr. En quinze ans et demi, que de titres oubliés, recouverts par de nouvelles vagues de titres tout aussi éphémères ! Mais le journalisme, tel que je le conçois, ne passe pas obligatoirement par le beau, le profond et le durable (dans ce cas, l'émission n'aurait-elle pas dû être trimestrielle?). À la vitrine du libraire, il y a *aussi* des livres de débutants, des ouvrages de circonstance, des bouquins intéressants mais un peu ratés, des essais qui relèvent du journalisme, etc. C'est ce mélange des genres qui a aussi fait le succès de mon émission. Et c'est ce méli-mélo qui, au début, en a choqué plus d'un, ces dix ou quinze minutes d'antenne accordées à la queue leu leu à des invités de valeur inégale et qui parlaient d'égal à égal, qui ont produit tant de succès de librairie, le public, un peu frustré, voulant prolonger par la lecture la rapide conversation dont il fut l'auditeur-voyeur. Tous les livres lancés par Apostrophes n'étaient pas des chefs-d'œuvre ; tous les chefs-d'œuvre n'ont pas été lancés par Apostrophes. Mais, depuis 1975, rien de ce qui a fait la vie des livres et le choc des idées n'a échappé à Apostrophes. C'est une émission témoin de son temps, qui a raconté, *toujours à travers les livres*, les passions, les interrogations, les émotions et les ridicules de son époque.

Enfin, je garde en mémoire beaucoup d'émissions dites « de plateau », comme les Apostrophes avec les « nouveaux philosophes », avec les historiens (Duby, Le Roy Ladurie, Ariès, etc.), avec les chrétiens du Vendredi saint, avec Jean d'Ormesson, Mario Vargas Llosa, François Mitterrand, Charles Bukowski, John Le Carré,

Georges Perec, Hubert Reeves, etc., avec la juste indignation de Simon Leys contre les intellectuels occidentaux maoïstes, avec les romanciers en piste pour le Goncourt, autour d'Hervé Bazin, chez Drouant, avec toutes ces Anglaises qui connaissent si bien les vins français, avec Simone Signoret, Patrick Modiano, Raymond Aron (mais l'une affreusement ratée dans un face-à-face avec Galbraith), Roland Barthes (sa conversation avec Françoise Sagan et Anne Golon — oui, l'auteur des *Angélique* !), Claude Hagège et Raymond Devos (dans la même émission, oui), Pierre Bourdieu et Pierre Perret *(idem)*, et le truculent Henri Vincenot... J'aurais pu faire un délicieux tête-à-tête avec l'auteur de *La Billebaude*, qui eût pulvérisé les sondages d'Apostrophes, mais j'estimais que les livres d'Henri Vincenot n'étaient pas à la hauteur des œuvres des auteurs confessés chez eux et à la porte desquels j'avais sonné en disant en quelque sorte : « Confiez-vous à Pivot avant de mourir... »

P. N. – Quelles sont les personnalités que vous auriez aimé avoir (en dehors des René Char, Cioran, Gracq, inaccessibles — encore que... avez-vous essayé ?), en France et à l'étranger ? Aviez-vous songé à Sartre, qui a vécu cinq ans après le début d'Apostrophes ?

B. P. – Oui, j'ai un peu tournicoté auprès de Char, Gracq et Cioran. Mais j'avais du respect pour leur décision de garder le silence et je ne les ai jamais formellement invités. Et comme ce sont des personnes qui ont de bonnes manières, ils n'ont pas répondu négativement à la question que je ne leur ai jamais posée. Mais cela revient au même. Célèbres avant la télévision, lus sans la télévision, ils appartiennent à des générations d'écrivains — il y avait aussi Beckett, Michaux, et avant eux Proust et Baudelaire, et encore avant ceux-ci Pascal, Voltaire et Molière — qui se sont imposés sans le secours d'émissions littéraires sur le petit écran. Alors, sur leurs vieux jours, pourquoi y céder ? Albert Cohen, rétif aux interviews, a fini par accepter de me recevoir chez lui, en présence de caméras. Il fut si peu mécontent du résultat qu'il ouvrit sa porte ensuite à d'autres visites.

Avec Sartre, impossible ! Au milieu des années soixante, j'avais, assez méchamment j'en conviens, critiqué un roman de Simone de Beauvoir. Elle ne l'a jamais oublié et ne me l'a jamais pardonné. Ajoutez à cela la brouille entre Sartre et Antenne 2. À ses débuts, la chaîne avait promis à l'écrivain une série d'émissions sur le XXᵉ siècle. Mais, dans des conditions qui alimentèrent la polémique, Antenne 2 dut ensuite y renoncer. Question : dans les dernières années de sa vie, Sartre était-il encore Sartre ? Nombreux étaient alors ceux qui répondaient, sinon à sa place, du moins à ses côtés.

Il y avait aussi Jean Genet. Mais il entrait dans le même cas de figure que Char ou Gracq.

P. N. – Dans ceux que vous avez pris en solo, il y en a un, au moins, dont le nom n'était pas évident : Soljenitsyne, en avril 1975, quatre mois après le début de l'émission. À l'époque, c'était un choix prophétique, et l'émission a eu une importance historique. Vous en doutiez-vous ? Comment l'idée vous est-elle venue ? Comment la chose s'est-elle faite ? Y a-t-il eu des réactions immédiates à la télé et en dehors ? Comment avez-vous vécu l'aventure ?

B. P. – *Apostrophes* n'existait que depuis quelques semaines quand Serge Montigny, qui dirigeait le service de presse du Seuil, m'a appelé au téléphone pour me demander, dans le cas où Soljenitsyne accepterait une émission de télévision en France, à l'occasion de la sortie du *Chêne et le Veau*, si le plus célèbre banni soviétique voulait bien..., est-ce que... ? Deux Russes, ô combien différents l'un de l'autre, Nabokov et Soljenitsyne, furent mes deux plus beaux *scoops*.

Et cela dans les cinq premiers mois de l'émission !

J'estimais que j'avais les épaules un peu frêles pour accueillir l'auteur de *L'Archipel du goulag*, rescapé des trois fléaux du XXᵉ siècle : la guerre, le cancer et les camps. Je me sentais très très minuscule, face à ce géant de l'Histoire et du livre, qui annonçait sa venue dans mon studio... Je n'allais quand même pas dire non par modestie ! C'était la première fois qu'en France on allait pouvoir approcher, voir, entendre le témoin à charge numéro un du procès du communisme stalinien, du communisme tout court, et les polémiques autour de sa personne et de ses livres provenaient précisément de ce que lui ne faisait aucune distinction entre les supposées variétés de communisme. *L'Humanité*, qui ne m'avait pas ménagé quand, un an auparavant, à « Ouvrez les guillemets », j'avais organisé un débat contradictoire sur les livres de Soljenitsyne, trouva déplorable que toute une émission fût consacrée à un apatride aussi réactionnaire — émission prolongée exceptionnellement de vingt minutes ! Quant à l'ambassade d'U.R.S.S. en France, elle avait tout simplement demandé à Marcel Jullian, P.-D.G. d'Antenne 2, la suppression de l'émission. Pour interroger Soljenitsyne, j'avais notamment invité Jean d'Ormesson et Jean Daniel et, quinze ans après, certains se rappellent encore la polémique qui, devant le Russe à la fois ébahi et amusé, les avait opposés sur le sort du Viêt-nam que quittaient les derniers Américains, Soljenitsyne prophétisant la mainmise du Nord sur le Sud.

Il m'avait été reproché de ne pas avoir invité à l'émission un intellectuel communiste — il y en avait encore à l'époque. D'une part, je ne suis pas sûr que Soljenitsyne aurait accepté, d'autre part, l'émission aurait alors tourné à l'affrontement entre les deux hommes, et n'aurais-je pas honte aujourd'hui d'avoir, par confort, par pusillanimité, mis sur le même plan, dans les jumelles de l'Histoire, un géant et une puce ?

Encore un mot sur mes deux mémorables Russes. Les fauteuils d'Apostrophes étaient alors moelleux, on s'y enfonçait. Nabokov et Soljenitsyne refusèrent l'un et l'autre de s'y asseoir. Ils exigèrent des sièges durs. J'optai alors définitivement pour le dur, et plus aucun invité d'Apostrophes n'eut la possibilité par la suite d'asseoir sa personne, auguste ou balbutiante, dans du moelleux.

P. N. – À propos de Soljenitsyne, vous êtes un des rares à avoir vécu quelques jours dans son intimité, dans le Vermont. Racontez-moi un peu... Comment vous est-il apparu ? Qu'est-ce qui vous a le plus frappé ? De quoi parliez-vous ? Comment s'est passé le séjour ?

B. P. – Prédateur, vous ai-je dit. Le maximum de butin dans le minimum de temps ! Cela arrangeait bien aussi Soljenitsyne qui avait accepté — cadeau fabuleux, quand on sait qu'il lutte contre le temps pour écrire tout ce qu'il a à écrire — de nous consacrer une journée et demie. Une journée pour le filmer dans sa vie quotidienne : à sa table de travail, avec ses enfants, avec sa femme, en promenade, au tennis, dans ses activités de bûcheron, etc. ; une matinée pour l'entretien tête à tête. L'expression « tête-à-tête » est-elle juste ? Sous la houlette du réalisateur Jean Cazenave, nous avons débarqué au nombre de quatorze, car, outre tous les techniciens de la vidéo, il y avait les traducteurs et l'équipement de traduction simultanée. Plus Claude Durand, son éditeur. Plus une photographe. Un commando qui investissait la propriété la plus secrète de l'État du Vermont ! L'écrivain manifesta quelque étonnement devant le nombre, puis, ayant serré la main de chacun, et sachant ce pour quoi chacun était là, il se livra à notre curiosité avec un allant, une gentillesse, une bonne humeur dont la stature et la légende de l'homme pouvaient faire douter.

Juste avant le premier clap, une seule restriction : « Je suis entièrement à votre disposition, je ferai tout ce qui est en mon pouvoir pour vous satisfaire, ma famille également. Cependant il est une chose qu'il ne faudra jamais me demander : recommencer une scène ou redire quelque chose. » Ainsi marquait-il sa détermination à ne jamais passer de la spontanéité au simulacre, du vrai à l'artifice, à ne pas être filmé *jouant la comédie*. Après le déjeuner, que nous avaient préparé Mme Soljenitsyne et sa mère Catherine Svetlova (qui était physicienne en U.R.S.S.), l'un des cadreurs rata je ne sais plus quelle scène touchante et rapide avec les enfants. Alors que Jean Cazenave ébauchait une demande de reprise, un *niet* catégorique retentit.

Je me souviens du toit à chien-assis de la maison de travail, construite, selon les directives de l'écrivain, pour qu'il puisse, sans perdre de temps, aller jusqu'au bout de la gigantesque *Roue rouge*. Existe-t-il dans le monde une autre maison construite autour d'un projet d'écriture ? Au rez-de-chaussée, l'immense salle-bibliothèque qui contient les manuscrits et les ouvrages de référence, et une minuscule et jolie chapelle avec soleil et icônes. Au premier étage, sur de grandes tables, des tas de fiches, de notes, qui correspondent à des faits historiques et à des personnages : c'est là que l'écrivain met en

27

scène sa fresque. Et c'est à l'étage au-dessus, dans la lumière qui entre en abondance par des baies et des impostes, qu'il rédige.

Je me souviens de la très fine écriture de l'ancien prisonnier du goulag, pas un centimètre carré de papier n'échappant au déferlement des mots.

Je me souviens des beaux yeux marron de Nathalie, épouse énergique et gracieuse.

Je me souviens de trois garçons, trapus, costauds, aux joues bien rondes, et surtout du second, Ignat, onze ans alors, qui jouait au piano le deuxième *Concerto* de Beethoven.

Je me souviens de Stephan, le troisième, qui disait apprendre le français et aimer jouer au « soccer ».

Je me souviens d'un bouleau très haut, que Soljenitsyne regardait avec admiration et, peut-être, nostalgie.

Je me souviens de la force, de la puissance que dégagent le corps, les mains, le crâne, le sourire de Soljenitsyne, sa voix forte et pédagogique, et je me souviens d'avoir retrouvé là-bas, chez lui, amplifiée, évidente, l'impression que cet homme n'était décidément pas du bois dont on fait les hommes ordinaires et que j'avais ressentie huit ans auparavant, à Paris.

Je me souviens de Soljenitsyne concluant ainsi

l'entretien : « J'ai en moi le sentiment, la conviction, que je reviendrai, vivant, dans ma patrie. »

Je me souviens de ma réaction : admiration et totale incrédulité.

P. N. – Et vous, dans tout cela ? Pour tout le monde, Pivot c'est Pivot de toute éternité. Mais avez-vous le sentiment de vous être trouvé tout de suite ? De vous être critiqué, d'avoir réfléchi à votre technique ?

B. P. – Ai-je une technique d'interview ? Non. J'ai une manière d'être, d'écouter, de parler, de relancer, qui m'est naturelle, qui existait avant que je fasse de la télévision et qui continuera quand je n'en ferai plus. Beaucoup de gens pensent que questionner, converser, devant des caméras, oblige le journaliste à être différent de ce qu'il est lorsqu'il s'entretient avec quelqu'un dans l'ordinaire de la vie. Pour ce qui me concerne, je ne vois que des ressemblances, sauf, bien sûr, qu'à la télévision le temps presse, qu'il faut aller plus vite que chez soi ou dans la rue, et que tout mot doit être « utile ». Mais dans le roulé-boulé de la conversation, comment être autrement que ce qu'on est profondément ? À moins d'être un formidable comédien et de composer sur les plateaux de télévision un personnage décalé du vrai — mais alors quelle gymnastique ! —, je ne m'imagine pas en Dr Jekyll et Mr Hyde de la communication.

Et pourtant ce fut au départ un peu mon idée. Quand, en 1973, Jacqueline Baudrier m'a demandé de faire sur la Une de l'époque une émission littéraire, qui allait s'intituler «Ouvrez les guillemets», n'ayant aucune expérience de la télévision et devant me lancer dans le grand bain sans essai, sans répétition, sans préparation, je conçus le projet d'être différent de ce que j'étais dans ma manière de parler. Je fis un rapide bilan : «Tu parles trop vite ; tu manges les négations ; tu emploies des formes interrogatives fautives ; tu abuses des onomatopées et des chevilles, etc. » Accablant ! Je m'efforçai donc, dans les jours qui précédèrent la première émission, à parler lentement, à prononcer les *ne* et les *n'y*, à poser des questions dans une forme interrogative impeccable, à expulser de ma bouche les mots inutiles et incongrus... La veille du grand soir, je m'aperçus que j'étais grotesque. Je m'engueulai avec vigueur et je me dis ceci : «Mon pauvre Bernard, tu gagneras en étant toi-même et non pas un autre, en tout cas pas celui que j'entends avec consternation parler comme s'il avait le larynx sur un porte-manteau... De deux choses l'une : ou ta manière de t'exprimer, parfois un peu baroque, il est vrai, passe bien, est bien reçue, et c'est tant mieux

30

pour toi ; ou elle déplaît, irrite, paraît incompatible avec la qualité d'une émission littéraire, exemplaire en toutes choses, et tu retourneras illico à la presse écrite après une expérience ratée, cependant fort intéressante... » Vous connaissez la suite, à savoir que c'est précisément cette manière non universitaire — pardon, monsieur Nora —, non pédagogique, plutôt conviviale, spontanée et populaire, de converser avec les écrivains et les intellectuels, et de parler des livres, qui a, en partie, fait le succès de l'émission.

Je me suis cependant donné quelques règles de bon sens, que d'ailleurs la plupart des journalistes de télévision appliquent, consciemment ou non : 1) faire des questions courtes ; 2) considérer que toute réponse, même décevante, est plus importante que la question (« Ma réponse est oui, dit Woody Allen. Mais quelle était la question ? ») ; 3) ne jamais oublier que c'est aussi le téléspectateur qui pose la question et que c'est aussi lui qui entend la réponse.

P. N. – Vous êtes-vous amélioré comme interviewer ?

B. P. – Je ne peux pas ne pas croire que je me suis amélioré au fil des années et que, si je devais faire une émission de débat pendant vingt ans encore, je ferais encore des progrès. Tout travail de longue haleine, répétitif et cependant chaque fois nouveau, suppose, si l'on n'est pas foncièrement pessimiste, l'ambition d'être toujours meilleur qu'on a été. Je crains toutefois que cela ne soit qu'un vœu agréable ou une attitude confortable. Car, année après année, il est probable qu'on évolue imperceptiblement et qu'on parvient à une efficacité qui n'est ni plus ni moins grande que l'efficacité précédente, mais qui est faite d'éléments dont le dosage varie avec l'âge. Ce que j'ai gagné en expérience, en métier, ne l'ai-je pas perdu en spontanéité ? Ma naïveté, naturelle ou feinte, n'a-t-elle pas décliné au profit d'un réalisme tranquille ? Est-ce que je ne montre pas plus d'agacement qu'autrefois devant les dérobades ou les mensonges de certains invités ?

Ce qui n'a pas varié, c'est la somme considérable de travail, essentiellement de lecture, que j'ai produite pour conduire le mieux possible l'émission. Car, à la sept centième, j'étais aussi angoissé, *avant l'émission,* qu'à la septième. Combien il est rassurant, alors, de me dire que j'ai consacré à sa préparation tout le temps qu'elle exigeait, qu'elle méritait, et dont, ne serait-ce que par politesse, j'étais redevable aux écrivains qui avaient accepté mon invitation et aux téléspectateurs qui étaient au rendez-vous.

P. N. – D'accord, mais vous noyez quand même un peu le poisson. Pour tout le monde, ce qui fait votre principale qualité d'interviewer — en dehors d'avoir vraiment lu et compris les livres — c'est de poser aux auteurs les questions que tout un chacun leur poserait à votre place, indépendamment de ce que, vous, vous savez d'eux ou pourriez avoir, vous, envie de leur poser. Le rôle d'interprète de la curiosité publique, l'avez-vous travaillé, mis au point, ou vous a-t-il été vraiment une première nature ?

B. P. – Votre formule « interprète de la curiosité publique » me paraît être une excellente définition de la profession de journaliste. Et si j'ai travaillé ce « rôle », c'est d'abord au Centre de formation des journalistes et dans mes premières années au *Figaro littéraire* où mes aînés m'ont appris que les bonnes questions sont celles qui donnent aux lecteurs ou aux auditeurs la vivifiante impression qu'à votre place ils les auraient aussi posées. Qu'il y ait aussi là-dedans quelque don, c'est sûr.

Pour chaque émission je pars de ce postulat : le public ne sait rien, moi non plus, et les intellectuels et écrivains savent beaucoup de choses. Mais, ayant lu leurs livres, j'en sais assez pour être le médiateur entre l'ignorance des uns —

qui ne demandent qu'à apprendre — et la connaissance des autres — qui ne demandent qu'à transmettre leur savoir. Une émission d'Apostrophes réussie est celle où les téléspectateurs étant mieux informés, plus cultivés, moins ignorants qu'ils ne l'étaient avant l'émission, éprouvent l'irrésistible envie d'en savoir plus et, pour cela, achètent et lisent les livres sur lesquels on a discouru pendant soixante-quinze minutes.

Si le questionneur n'a pas lu les livres, pose des questions passe-partout, ne peut pas relancer faute d'un minimum de connaissances, l'auteur risque d'apparaître décevant, et c'est fichu pour lui, pour son livre et pour le public. Si, inversement, le questionneur est quelqu'un de très calé, qui montre qu'il en sait autant que l'auteur et qui peut même lui en remontrer, on aboutit à une conversation de spécialistes de laquelle le public se sent exclu, et c'est fichu pour lui, pour l'auteur et pour son livre. C'est pourquoi il est si important que le journaliste, chargé des livres à la télévision, ne soit pas lui-même un auteur, un confrère de ses invités. Je vais vous dire le secret tout bête de ce que certains ont appelé le «miracle d'Apostrophes» : je ne suis pas un écrivain, j'ai du regret de ne pas l'être, mais de cette vieille blessure, profonde, camouflée, je n'ai tiré ni dépit ni aigreur, mais une sincère admiration (qui n'est pas pour autant béate) et une violente curiosité pour toute personne qui a convaincu Gallimard, Fayard, Actes Sud ou Bernard Barrault d'imprimer son nom à côté du leur, sur une couverture de bouquin. Le reste, après, n'est que du travail, de la lecture, du jugement. L'essentiel, vous l'avez compris, c'est d'être *dans de bonnes dispositions.* Je l'étais. J'abandonne parce que je le suis moins.

P. N. – Donc la fête est finie. Par usure psychologique ? Parce que la production vous paraît moins excitante ? Et quelle discipline intérieure vous imposez-vous pour rester frais et dispos ?

B. P. – La fête est finie parce que lire n'est plus une fête. Soyons précis : j'éprouve de plus en plus de difficultés à lire des romans. Du côté de l'histoire, de l'essai, des sciences humaines, de l'autobiographie, etc., tout va bien. Je peux continuer d'en lire plus de dix heures par jour. Mais le roman, dont, depuis plus de quinze ans, j'ai fait une consommation effrénée, désordonnée, passionnée, ne me paraît plus aussi aimable qu'avant. Ce n'est pas lui qui est fatigué, c'est moi ! Déjà, j'ai renoncé à lire les romans historiques, principalement ceux qui se passent pendant le Moyen Âge et la Révolution. L'idée même d'ouvrir l'un de ceux-là me fait fuir. Saturation. Exacerbation. Et je sens bien que bientôt c'est toute la fiction qui va me tomber des mains. Or, comment continuer de faire Apostrophes sans lire de romans ou en les lisant dans l'ennui ou la révolte ? Comment maintenir la qualité et la vérité d'une émission si j'occulte une part essentielle de la production des éditeurs et si, trompant le public (ce serait aussi le tromper que de faire lire les romans par des nègres lecteurs), par omission volontaire, pour mon confort, je renonce à lui présenter ce à quoi je l'ai depuis longtemps habitué et dont lui ne s'est nullement fatigué ?

Comment faire passer à l'antenne le plaisir de lire (des romans) si je ne l'éprouve plus ? Faussée dans sa préparation, altérée dans son déroulement, l'émission ne tarderait pas à décevoir et à sombrer.

Enfin, j'ai envie de redresser la tête — toujours penchée sur les livres — et de retourner au cinéma, au théâtre, dans des expositions, j'éprouve même une furieuse envie de flâner, de perdre mon temps, mais la flânerie est-elle une perte de temps ?

P. N. – Pivot écrivain ? Tiens tiens... Au fond, c'est un secret de polichinelle : les bons critiques, comme les bons éditeurs, sont tous des écrivains rentrés, des auteurs par procuration. Mais quand même, qu'auriez-vous voulu écrire, quel genre d'écrivain auriez-vous aimé être ? Visiblement, Nabokov vous travaille...

B. P. – Nabokov ? Pas du tout. Exilé, cosmopolite, Russe et Américain, Suisse, omniscient, quadrilingue, subtilement arrogant, ironiquement supérieur, universel... Le petit Français que je suis, tellement français, irrévocablement, indécrottablement français, lit, admire, applaudit le génie Nabokov (encore un ratage du prix Nobel), un point c'est tout. (Mais est-ce tellement français de goûter si fort Nabokov ?) Si j'avais écrit, j'aurais eu pour ambition de m'insérer dans un courant très français du roman où l'on parle avec brio et gaieté des chagrins de la vie, je pense notamment à Antoine Blondin et Félicien Marceau que j'ai lus à vingt ans et que je relirai à quatre-vingts.

P. N. – En vous obligeant vous-même à n'être que ce lecteur collectif, ce questionneur « moyen », pouvez-vous comprendre que certains auteurs, tout en étant heureux et reconnaissants de cette occasion de faire connaître leur livre aient, eux aussi, le sentiment légèrement humiliant de passer sous la toise ?

B. P. – La toise varie selon les invités ! C'est la télévision elle-même qui peut paraître humiliante à un créateur, surtout s'il a le sentiment qu'il y a dépensé son intelligence et sa salive pour rien. Tout créateur, quel que soit le média, peut se sentir gêné, abaissé, de devoir répondre aux questions d'un journaliste. C'est ce que Kundera explique très bien page 135 de *L'Immortalité* quand il écrit : « Le pouvoir du journaliste ne se fonde pas sur le droit de poser une question, mais sur le droit d'*exiger une réponse.* » Reste que je connais peu d'humiliations qui résistent à un nom sur une liste de best-sellers ou aux compliments des voisins, amis, parents, fournisseurs, etc., qui vous voient souvent, mais qui, ce soir-là, vous ont *vu*, et auxquels vous lie pendant quelque temps une sorte de complicité admirative et déférente.

P. N. – Avez-vous, personnellement, des préférences pour certains genres ? J'ai l'impression qu'il y a eu, malgré tout, des genres très peu représentés à Apostrophes : les policiers, la science-fiction, la poésie. Est-ce que je fais erreur ?

B. P. – Il y a eu une émission spéciale sur la science-fiction, mais, sans passion de ma part, car, au-dessus de dix mille mètres et au-delà de l'an deux mille, je décroche, mon esprit se désagrège, mon attention se liquéfie, je deviens un extraterrestre non lisant. Un polar par-ci par-là, très rarement : difficile d'en faire parler, il ne faut pas raconter l'histoire, alors... La bande dessinée n'est pas non plus mon fort. J'ai cependant invité quelques auteurs qui m'ont paru novateurs ou amusants... Quant à la poésie, je lui ai consacré cinq ou six émissions spéciales, mais sans grand succès. Comment, à la télévision, qui est lumière, éclat, mise en scène, évidence, comment y dire ou faire exprimer le secret d'une parole, l'écart d'une sensibilité, le risque du cri ou du chuchotement ? Il y a antinomie entre les lignes hertziennes et les lignes du poète. De surcroît, le système table ronde d'*Apostrophes* n'aide pas beaucoup les poètes à s'exprimer. C'est dans des tête-à-tête d'*Apos'* et de *'Strophes*, tard le soir, que j'ai le mieux servi la poésie.

Par chance, ce sont les genres que je préfère : mémoires, biographies, romans, histoire, essais, documents, pamphlets, etc., qui se prêtent le mieux à l'exposition sous les *sunlights*.

P. N. – Vous aurez constaté comme moi cette semaine que *Mes coquins* de Daniel Boulanger que vous avez reçu il y a quinze jours est en troisième position sur la liste des best-sellers de

L'Express. Il est possible que vous aimiez vraiment Boulanger et ayez voulu faire partager votre coup de cœur. Mais parfois vous avez donné le sentiment d'avoir décidé à froid de mesurer votre capacité de lancement. Pour William Boyd, par exemple. Est-ce que je me trompe ? Et si je ne m'égare pas, combien de fois avez-vous essayé ce genre de coups ? Et quelles conclusions en avez-vous tiré ?

B. P. – Comment « il est possible que vous aimiez vraiment Boulanger » ? C'est une insinuation désobligeante. Vous pensez que je peux recommander des livres, inciter le public à les lire, sans les aimer réellement ? J'estime que Boulanger n'a pas un assez grand nombre de lecteurs et que bien des gens sont capables d'apprécier sa fantaisie, ses dérapages poétiques ou cocasses, son style très travaillé, brillant, précieux, ses histoires à la fois simples et folles. J'ai dit cela parce que je le pense, un point c'est tout. Et tant mieux si dix, vingt ou trente mille personnes m'ont fait confiance. Tant mieux si ma « capacité de lancement », pour reprendre votre expression, a augmenté au fil des années, ce qui prouve que dans l'ensemble je l'ai employée à bon escient. Le public perçoit très bien mes « coups de cœur » parce que tout bonnement ils sont rares et sincères.

Dans le cas de Boulanger, d'Orsenna *(L'Exposition coloniale)*, de Le Roy Ladurie *(Montaillou, village occitan)*, de Kadaré *(Qui a ramené Doruntine ?)*, d'Alina Reyes *(Le Boucher)*, de Marceau *(Les Passions partagées)*, de Styron *(Le Choix de Sophie)*, etc. — je cite ceux qui viennent spontanément à ma mémoire et au succès desquels mes commentaires très favorables ont contribué — j'avais, bien sûr, décidé à l'avance d'être chaleureux. Pour *Comme neige au soleil*, de William Boyd, également. Mais là il s'est produit une sorte de dérapage qu'aurait pu imaginer Boulanger. Le français de Boyd était hésitant, je n'arrivais pas à faire passer mon enthousiasme. Alors, brusquement, sans réfléchir, j'ai annoncé que je rembourserais les lecteurs qui, ayant acheté et lu le roman, seraient déçus. Au vrai, le risque était mince, car l'histoire était très passionnante. C'était donc un « coup », mais spontané, et qu'on ne pouvait faire qu'une fois.

P. N. – Dix heures de lecture par jour ! Pendant quinze ans ! Un simple calcul montre qu'à raison de cinq livres en moyenne par semaine sur onze mois de l'année, vous avez avalé au moins trois mille cinq cents livres, et sans doute près de cinq mille, le maximum qu'un grand lecteur comme Étiemble considérait qu'un homme puisse lire dans sa vie. C'est géant. Vous êtes un ogre, un «cas», un professionnel de la lecture des nouveautés, et le public ne se rend pas bien compte de ce que ce marathon représente. Mon chirurgien de père avait l'habitude de dire que du drame opératoire, le malade ne connaît jamais que la longueur de la cicatrice. Des heures et des heures que vous lui avez consacrées, l'auteur ne retient jamais que la température du compliment que vous lui faites à l'antenne.

Comment arrivez-vous donc à soutenir votre attention de façon si continue ? À vous attacher à tant de romans qui n'en valent pas la peine ? À investir sur une méchante histoire et pour un entretien de quelques minutes l'énergie que demanderait un vrai compte rendu critique ? Cela suppose un genre de vie d'une régularité matérielle et psychologique peu banale. Comment vous y prenez-vous ?

B. P. – Quand Pierre Desgraupes est devenu, en 1981, le patron d'Antenne 2, il m'a demandé de présenter le journal de vingt heures. Soit en m'y consacrant totalement, soit en gardant Apostrophes. J'ai refusé la première solution parce que le journal, tout de contraintes et de textes de liaisons lus sur un «prompteur», n'offre pas la liberté d'expression, de curiosité et de navigation que m'a toujours procurée

Apostrophes. J'ai aussi refusé la seconde solution parce que les heures consacrées au journal du soir auraient été volées à la lecture, à la préparation d'Apostrophes, qui en eût été sérieusement amoindrie. Ou j'affermais une partie importante de mon travail à des « esclaves » ou je décidais de lire moins et plus vite : dans les deux cas c'était tricher, tromper le téléspectateur et entamer sérieusement le crédit de l'émission — dont se serait très vite détournée une partie du public, plus avisé qu'on ne croit, et qui voit bien quand, dans l'incapacité de poser des questions précises puisées au profond du livre, le journaliste se contente de godiller sur les bords. C'est par ce travail incessant de lecture — stylo en main — que j'ai acquis et conservé la confiance des écrivains et des téléspectateurs.

Aux livres j'ai sacrifié le cinéma, mon autre passion, le théâtre, les expositions, la musique, et même beaucoup de matches de football, les voyages, les week-ends, les flâneries dans Paris, etc. (C'est pour renouer avec quelques-uns de ces plaisirs-là que j'arrête Apostrophes.) Mais c'était une discipline de vie librement consentie pour une émission qui valait bien cette peine par les agréments considérables que j'en ai retirés, ne serait-ce que la fierté de savoir que, dès le samedi matin, l'émission se poursuivait dans les librairies...

Demanderiez-vous à un journaliste politique :
« Comment arrivez-vous donc à vous attacher à
tant de débats, de réunions, de séances qui n'en
valent pas la peine ? » ; à un journaliste sportif :
« ... à vous intéresser à tant de matches insipides,
de compétitions décevantes ? » Le journaliste ne
travaille pas continuellement dans le durable,
l'exceptionnel, l'immortel. Il doit avoir la
modestie de se frotter au tout-venant de l'actualité, en espérant cependant que les occasions
de vibrer, de s'enthousiasmer seront plus nombreuses que les occasions de râler.

Des livres plus vite oubliés que lus, j'en ai
consommé des centaines et des centaines. Certains n'étaient pas sans charme, sans drôlerie ou
sans intérêt. Il y a toujours quelque chose à retenir d'un médiocre match de football : une talon-
nade, un tir sur la transversale, un joli geste technique... On lit un livre raté avec la conviction
que le suivant sera meilleur et même épatant, ce
qui, si l'on a une curiosité tous azimuts comme
la mienne, arrive tout compte fait très souvent.
Je n'étais pas assez masochiste pour ne m'infliger que des livres qui m'auraient gâché la vie.
En préparant Apostrophes, je me suis donc
beaucoup plus souvent diverti qu'ennuyé. (C'est
parce que, avisant un gros roman, je juge depuis
quelque temps intolérable de lui consacrer deux

journées entières de ma vie que j'arrête Apostrophes.)

Enfin, ayant une mémoire assez poreuse — dans ce cas c'est une chance — les scories de la semaine s'éliminent d'elles-mêmes. J'ai parfois l'impression que, dans ma tête, un tableau noir est installé, qu'un coup de chiffon le samedi matin remet propre et net, et sur lequel vont pouvoir s'inscrire les lectures, magnifiques ou banales, de la semaine.

P. N. – Et pendant l'émission, où vous recevez beaucoup de gens que vous ne connaissez ni d'Ève ni d'Adam, êtes-vous amené à modifier votre plan de bataille ? N'avez-vous jamais de passage à vide, de trou d'air, de moments de panique ou de découragement quand vous n'arrivez à rien tirer de l'interlocuteur ou que vous n'accrochez pas du tout avec lui ?

B. P. – Certaines émissions ne s'annoncent pas bien. Pendant la séance de maquillage, je remarque que celui-ci paraît prétentieux, celle-là revêche, un troisième compliqué, avec une tête pas sympathique. Je me sens découragé. Je maudis le sort. Puis je me reprends et, sans rien changer à la stratégie générale de l'émission, je me dis qu'il faudra m'adapter aux circonstances, intervenir davantage, mettre plus d'humour, avoir celui-ci à l'œil, canaliser celui-là, etc. Il est rare qu'un auteur qui me donne de lui une fâcheuse impression une demi-heure avant le début de l'émission m'en procure une excellente une demi-heure après. (Une tête bien faite et chaleureuse, annonciatrice de bons moments, peut se révéler funeste.) Mais il y a aussi des émissions où je tiens la forme, ne serait-ce que parce que le thème ou les invités m'excitent beaucoup, et d'autres, comme au tennis, où j'ai toujours un peu de retard sur mon revers et où ma première balle ne passe pas. Si l'émission est ennuyeuse, je m'ennuie, et cela se voit sur mon visage. Si l'émission est pleine de péripéties, de propos intelligents, si elle est enlevée et passionnante, je suis heureux, et cela se voit. Si un auteur est barbant, je me barbe, et cela se voit. Si un auteur est captivant, je suis captivé, et cela se voit. Si, parce qu'il ment, radote ou pérore, un auteur m'irrite, je suis irrité, et cela se voit — les téléspectateurs le voient, l'auteur aussi d'ailleurs. Impossible de masquer mes sentiments puisque, ainsi que je vous l'ai déjà dit, je suis le premier téléspectateur de l'émission.

Voici que tel invité se révèle excellent — sincère, passionné, émouvant ou drôle, en harmonie avec son livre — et, entre deux questions, tout en savourant les réponses, je me dis : « Oh, qu'il est bien ! quelle chance de l'avoir ! bien joué, Bernard!» Voici que tel autre est un vrai désastre, je l'entends avec épouvante bredouiller des platitudes ou s'enfoncer dans un récit amphigourique, et, tandis qu'avec angoisse je me demande comment le tirer de là, me tirer de là, nous sauver, je me dis : «Mais il est nul! Où suis-je allé chercher ce zèbre-là? C'est une catastrophe, mon pauvre Bernard!»

Le pire, c'est quand un auteur, dont j'apprécie particulièrement le livre, fait tout pour couler (il n'entend pas mes questions, il répond à côté, il a préparé son discours qui sonne faux, il raconte avec conviction des choses sans intérêt ou il dit platement des choses qui, mieux exprimées, seraient d'un bel effet, etc.) et rate toutes les bouées que je lui envoie. Le livre, son livre, sera la victime de cette prestation ratée, et c'est bien cela qui me désole. Deux réactions possibles de ma part : soit, après d'ultimes tentatives de sauvetage, découragé, je le laisse «se suicider» en direct; soit, dans une sorte d'accès de révolte, je lui retire la parole et, sous ses yeux ébahis, parfois courroucés, dis ce que j'aurais aimé lui entendre dire.

Mes deux seuls moments de panique, je les ai vécus avec deux étrangers, un naturaliste anglais et un romancier populaire américain (Harold Robbins), censés l'un et l'autre utiliser convenablement le français et qui ne mâchouillaient que quelques lambeaux de phrases. Eh bien, j'ai parlé à leur place. C'est dans ce genre de circonstances qu'on se félicite d'avoir pris le temps de lire attentivement les livres...

P. N. – Vous renseignez-vous un peu sur les auteurs inconnus ? Par les attachées de presse ?

B. P. – Un livre intéressant, à plus forte raison s'il est superbe ou capital, justifie à lui seul l'invitation de son auteur, qu'il soit médiatique ou pas. Il ne m'est jamais venu à l'idée de faire procéder à une enquête pour savoir si l'auteur sera « un bon ou un mauvais client » d'Apostrophes. Ce serait alors considérer que le livre est moins important que son auteur, que la photogénie ou l'éloquence de celui-ci est un paramètre plus déterminant que les qualités de celui-là. Après l'invitation, je dis bien *après*, il arrive souvent que l'attachée de presse donne spontanément son opinion sur les manières d'être et de s'exprimer de l'auteur. Il m'arrive aussi de le demander, toujours après l'invitation, pour savoir si je puis faire de cet homme ou de cette femme le « pivot » de mon émission ou si, sans courir au désastre, je peux commencer avec lui ou avec elle. Les émissions qui ne rassemblent que des débutants sont évidemment les plus risquées : que des inconnus, de surcroît bien plus sujets au trac que les vieux sénateurs de la république des lettres ! Mais, dans ce cas, joue la loi des proportions : jamais les débutants n'ont tous été médiocres en même temps, jamais ils n'ont tous été excellents. On fait avec ! Et c'est à l'animateur, dans les surprises de la découverte, de jouer avec les qualités et les défauts des uns et des autres.

Pour clore ce chapitre, j'ajoute que certaines attachées de presse — l'immense majorité sont des femmes — sont rusées et cherchent à m'appâter en me vantant la beauté de celle-ci ou le brio de celui-là. Mais si je juge le livre sans intérêt pour l'émission, ces qualités d'image et d'expression resteront inemployées.

P. N. – Vous avez parfaitement raison d'évoquer l'écho «week-end» d'Apostrophes. L'incidence directe sur les ventes a évidemment donné à votre émission un supplément de crédibilité. Et elle a consacré cette messe du vendredi soir. Comment se sont établis votre jour et votre heure ? Qui les a choisis ? Avez-vous eu à les défendre ?

B. P. – Toutes chaînes confondues, la soirée du vendredi sur Antenne 2 est la seule inchangée depuis 1975, année de lancement d'Antenne 2 sous la direction de Marcel Jullian. Soi-

rée immuable depuis quinze ans : fiction française, Apostrophes, ciné-club. Cette pérennité a-
t-elle été le signe d'une sclérose de la chaîne
publique ou la manifestation ambitieuse d'un
entêtement culturel ? À chacun de juger.

La programmation d'Apostrophes le vendredi
soir — géniale, dira-t-on après coup, parce
qu'elle guide les achats en librairie du samedi —
n'a pas été réfléchie. C'est un effet du hasard.
Ou plutôt de la politique de la chaise vide.
Aucun producteur de magazine ne voulait de
cette soirée-là, car elle était à haut risque : la
Une diffusait alors, avec un succès phénoménal,
« Au théâtre ce soir », et la Trois un film. Coincée entre une pièce de boulevard et un film
grand public, la soirée de la Deux ne recueille-
rait que des miettes d'audience. On m'y a placé
d'autorité. Et c'était normal : le public qui aime
les livres est restreint, mais ferme dans ses choix,
courageux dans ses curiosités. À moi de faire en
sorte que la séduction de l'écrivain et du texte
l'emporte, chez une forte minorité, sur la séduction de l'acteur et de l'image. Je n'ai pas été
intrépide puisque c'était ça ou rien. C'est là que
la chance intervient : trois mois après, devant
les protestations des professionnels du cinéma,
FR 3 devait abandonner son film du vendredi
soir. Horizon dégagé. Sans compter que d'emblée l'habile programmation d'Antenne 2, par

sa cohérence et sa variété, avait séduit. Prise en sandwich entre une série populaire et un film de qualité présenté par Claude-Jean Philippe, Apostrophes bénéficiait de l'audience de l'une et du prestige de l'autre. En ce temps-là, on ne zappait pas, et les téléspectateurs qui choisissaient de passer la soirée avec une chaîne, comme on passe la soirée avec tel groupe d'amis au détriment de tel autre qu'on verra une autre fois, se disaient dans l'ensemble satisfaits par l'éclectisme de la conversation (Apostrophes) et des numéros de prestidigitation (série et film).

Quand — au bout de combien d'années ? quatre ? cinq ? — Apostrophes est devenue, selon la scie des journalistes, une « institution », il n'était plus possible de la changer de jour ou d'heure. Intouchable ! Malheur au président d'Antenne 2 qui aurait envisagé un transfert, pire un arrêt ! Peu à peu s'est développée une sorte de sacralisation de l'émission, un peu ridicule, car je n'ai rien du grand prêtre, assez agaçante, mais, tout compte fait, confortable, et heureuse pour celui qui en était le bénéficiaire : le livre. N'y a-t-il pas dans la mentalité des gens, même, surtout chez ceux qui ne lisent pas, la croyance que le livre est sacré ? On ne jette pas un livre, on ne brûle pas un livre, on n'abîme pas un livre, on en prend soin, on le range, on le classe, on en est fier. D'autre part, les écrivains ne sont pas des hommes et des femmes comme tout le monde. Depuis toujours, surtout en France où l'on a couronné Voltaire, enterré Hugo comme un roi, canonisé Proust, et enrôlé Gide, Camus, Malraux, Sartre et Mauriac comme directeurs de conscience, le respect admiratif pour l'écrivain est resté vivace et profond. On lui accorde un crédit d'intelligence et de sagesse dont seul le grand médecin peut aussi se prévaloir (ah, le toubib auteur! Gloire à Schwartzenberg, Minkowski, Jean Bernard, etc.). Les écrivains, pour le grand public, sont des gens à part, bizarres, impressionnants, respectés, révérés — «révérables» serait plus juste. Avec la durée, Apostrophes a canalisé sur elle les sentiments de déférence et de sympathie acquis au livre et à l'écrivain. «Lectures pour tous», l'ancêtre, avait profité des mêmes avantages (seule «Cinq colonnes à la une», émission dans laquelle on retrouvait Desgraupes et Dumayet, peut, pour le prestige et la nostalgie, soutenir la comparaison avec «Lectures pour tous»). Et j'ai moi aussi bénéficié de cette plus-value de l'écrivain et de l'écrit, ma notoriété étant hors de proportion avec l'audience de l'émission.

Résultat : j'étais le seul à pouvoir, sans créer un scandale, prendre la décision d'arrêter Apostrophes. Depuis qu'elle était devenue une «vache sacrée», l'émission échappait à la direction et à toute logique d'entreprise. Ce terrorisme tranquille m'a beaucoup amusé.

P. N. – Dans l'excellente organisation matérielle et télévisuelle d'Apostrophes, quelle a été la part du réalisateur et la vôtre ? De quoi, comment se fait la collaboration technique ?

B. P. – C'est François Chatel, réalisateur des trois premières émissions, relayé dès la quatrième par Roger Kahane, qui a donné sa forme, son style, sa dramaturgie à Apostrophes. C'est lui qui a inventé l'incrustation du visage de l'auteur dans la couverture de son livre, procédé qui a été repris par de nombreuses émissions et que nous avons dû par la suite abandonner pour ne pas paraître banal. Jean Cazenave est devenu le troisième réalisateur l'année suivante. Après la mort de François Chatel en 1982 (il aimait profondément les livres et les écrivains ; c'était l'époque de la grande rivalité entre les « verts » de Saint-Étienne et les « jaunes » de Nantes dont il était un ardent supporter ; après l'émission, chez Lipp, nous nous affrontions, et nos défis et reparties par-dessus la vaisselle de M. Cazes ressemblaient à l'épreuve des tirs aux buts) et le retrait de Roger Kahane, qui s'était résolument tourné vers la fiction, Jean Cazenave, puis Jean-

Luc Leridon sont devenus les réalisateurs attitrés d'Apostrophes.

Juste un coup de fil — et encore pas toujours — le vendredi pour le placement des invités. Une réunion le lundi après-midi pour leur présenter mes projets d'émission, recueillir leur avis quand j'ai une hésitation ou que je rencontre une difficulté, et puis voilà, à chacun son boulot, eux la réalisation, moi l'animation. Mais n'est-ce pas la même chose ? Pour eux comme pour moi, il s'agit de faire vivre l'émission, de lui donner de l'éclat, du suspens, de l'humour, de l'intelligence. Leurs caméras sont aussi là pour ça. Comme moi, ils sont, certains soirs, plus vifs, plus en forme, que d'autres soirs. Mais notre collaboration est si ancienne qu'elle tourne à la complicité. Il est peu vraisemblable qu'une initiative d'un invité ou de l'animateur puisse les déconcerter. Les spécialistes distinguent une réalisation d'Apostrophes signée Cazenave d'une réalisation signée Leridon. Mais, pour le public, il n'y a pas de différence. C'est la même mise en scène-plateau dans le même beau décor signé Michel Millecamps (trois décors en quinze ans, le dernier étant mon préféré).

En vérité, la difficulté pour le réalisateur d'une émission comme Apostrophes est de ne pas tomber dans la routine, dans l'ennui, et, pour éviter ces périls, de ne pas se lancer dans des mouvements de caméra, peut-être brillants, mais incongrus, qui retireraient aux mots de leur présence ou de leur force, et qui les rendraient opaques ou secondaires. Le Verbe, premier servi ! Il y a probablement quelque chose de frustrant pour un réalisateur, amoureux de l'image, de mettre celle-ci au service du Verbe.

P. N. – Comment Apostrophes avait-elle démarré ? En flèche ?

B. P. – En flèche, oui. La chance était avec moi, qui me servit sur un plateau, sur mon plateau, des auteurs exceptionnels, comme Jean Pasqualini dont vous aviez édité *Prisonnier de Mao*, premier témoignage irréfutable sur l'horreur des camps maoïstes et premier grand bestseller d'Apostrophes — dès la troisième émission ; comme François Mitterrand (cinquième émission) dont le livre *La Paille et le Grain* se vendit comme... des petits pains après soixante-quinze minutes éblouissantes sur ses lectures ; comme Soljenitsyne (quatorzième), Nabokov (vingt et unième). Mais il y eut aussi des rencontres inattendues, autour de thèmes spectaculaires, comme celles de Bernard Clavel, Brassens, antimilitaristes, avec le général Bigeard, le général Buis et le capitaine Sergent (dixième) ; de trotskistes et antitrotskistes (seizième) ; d'intellectuels arabes et israéliens (neuvième). L'édition m'offrit un choix impressionnant de livres de caractère polémique qui assurèrent d'emblée à Apostrophes une réputation d'émission bagarreuse — même s'il y eut aussi, comme l'Apostrophes avec François Mitterrand, des émissions calmes, paisibles, de communion littéraire. En ce temps-là, les écrivains invités ne pensaient pas à la vente de leurs livres, leurs éditeurs ne leur conseillaient pas de n'entrer dans aucune controverse de crainte de s'attirer l'hostilité d'une partie du public, les auteurs parlaient avec franchise, et il était donc plus facile qu'aujourd'hui d'organiser des joutes intellectuelles assez animées. Tout de suite l'image d'Apostrophes fut celle d'une émission où ça pense, ça cause, ça discute et ça dispute. Le succès a donc été immédiat.

Pourtant, douze ans après, dans les polémiques déclenchées par la création de chaînes privées, lorsqu'on évoquait l'impatience de celles-ci, quand le succès ne vient pas immédiatement installer une émission, on citait — Michel Polac et Jack Lang ont commis cette erreur dans un « Droit de réponse » — Apostrophes comme exemple d'émission lente à démarrer et pour laquelle le service public aurait fait preuve d'une persévérance dont le privé eût été bien incapable. La thèse n'est pas fausse, mais l'exemple était mal choisi.

Je crois que les émissions marchent tout de suite ou ne marchent jamais. Que leur installation dans la faveur du public se fait rapidement ou ne se fait pas. Qu'elles trouvent immédiatement leur style, leur ton, leur territoire et leurs abonnés. Ce fut le cas pour « Droit de réponse », « L'assiette anglaise », « Ushuaïa », « Médiations », « 7 sur 7 », « L'heure de vérité », etc., tous magazines de curiosité intelligente.

P. N. – Quel rôle a joué « Ouvrez les guillemets », dont les moins de trente-cinq ans ne doivent plus très bien se souvenir, dans la genèse d'Apostrophes?

B. P. – Créée en avril 1973 sur la première chaîne et disparue vingt mois plus tard avec l'éclatement de l'O.R.T.F. et mon passage sur la deuxième chaîne pour y faire Apostrophes, « Ouvrez les guillemets » était aussi une émission de plateau, faite en direct avec des écrivains. Mais, à de rares exceptions près, il n'y avait pas de thème. On jouait au contraire sur la diversité des livres et l'éclectisme des invités. L'émission ambitionnait d'être, chaque lundi soir, une petite librairie où « il y en a pour tous les goûts ». J'en étais le producteur et l'animateur, mais pas le seul journaliste. André Bourin interviewait un romancier de son choix, Gilles Lapouge faisait, dans un brillant « face à la caméra », le compte rendu d'un livre et participait aux conversations. Il y avait aussi des chroniques, assez régulières, sur la bande dessinée (Thierry Defert et Gilles de Bure), le roman policier (Jean-Pierre Melville, oui, le cinéaste), le roman de science-fiction (Michel Lancelot). Enfin, chaque semaine, l'émission proposait un reportage, parfois fait à l'étranger (Gilles Lambert chez John Le Carré, Viviane Forrester sur les pas de Virginia Woolf).

Vivante, inégale, imprévisible, brouillonne, chaleureuse, sans obtenir le succès d'Apostrophes, « Ouvrez les guillemets », rivale chaque semaine de son aînée « Italiques », avait ses fidèles. Mais je sentais bien que l'orchestration de l'émission autour d'un thème lui donnerait plus de force, plus d'impact, et que son animateur, entièrement responsable du choix des invités, en retirerait plus de plaisir. C'est grâce à « Ouvrez les guillemets », à l'expérience que j'en avais tirée, à l'accoutumance qu'elle m'avait donnée aux caméras, aux risques du direct, aux pièges des questions-réponses, que j'ai pu d'emblée réussir Apostrophes.

P. N. – Vous qui êtes le dernier salon où l'on cause, comment vous amusez-vous à composer votre plateau ? Le routier tout terrain, la belle âme, la tête de Turc et la belle fille ? Quel est pour vous le cocktail idéal ?

B. P. – Hé ! là, ne confondriez-vous pas Apostrophes avec ces réunions de personnages excentriques ou bizarres comme en organisait autrefois Philippe Bouvard ? Hervé Guibert, dans son roman, *À l'ami qui ne m'a pas sauvé la vie*, évoquant Michel Foucault à Apostrophes, parle de « variétés intellectuelles », ce qui me paraît une juste définition de l'émission. Comme je vous l'ai déjà dit, j'ai toujours construit l'émission en fonction des livres et non selon le pedigree ou la dégaine des auteurs. Avec cependant deux variantes : 1) le souci d'équilibrer certains plateaux selon l'appartenance politique ou philosophique des auteurs ou selon leur notoriété ou selon leur âge ou selon leur réputation ; 2) l'envie de temps en temps de faire se rencontrer des personnages qui, en dehors d'Apostrophes, n'auraient eu aucune occasion, aucune chance de lier conversation, et cela a donné quelques rencontres savoureuses et mémorables, comme celle de Claude Hagège et Raymond Devos, ou Michel Serres avec le chocolatier lyonnais Maurice Bernachon.

Enfin, il est vrai que, poussé par quelque

démon canaille, cinq ou six fois en quinze ans, j'ai volontairement choqué le public bon chic bon genre ou le public très intellectuel d'Apostrophes par des invitations de marginaux ne relevant pas d'évidence de la littérature, ni de la philosophie : ainsi le pilleur de banques Albert Spaggiari et la star du cinéma pornographique Brigitte Lahaye. Cela m'a valu chaque fois des centaines de lettres indignées et courroucées. Mais qui n'a pas ses faiblesses ? Ou ses désirs de provocation ?

P. N. – Quand et comment construisez-vous votre émission ? Quel est pour vous le bon rythme de votre « faena » ? N'y repensez-vous plus après ou bien refaites-vous votre émission comme un potache refait sa copie ? Vous arrive-t-il de les revoir ?

B. P. – Entre 14 et 15 heures, le vendredi après-midi, tous les livres ayant été lus, je m'attelle à la construction de l'émission. Je détermine d'abord l'ordre de passage des livres, au regard d'une logique ou d'une dramaturgie qui relève plus souvent du flair que d'un raisonnement rigoureux. D'ailleurs il m'arrive de changer cet ordre peu de temps avant l'émission, la réflexion sur son déroulement, les supputations sur le comportement des invités m'incitant à une autre construction — que j'ai parfois, ensuite, regrettée. (Par parenthèse, il n'est jamais bon que l'ordre de passage des livres ne m'apparaisse pas clairement. Si j'hésite, c'est le signe que l'émission court le risque de la confusion ou du piétinement.) En fonction de cet ordre — et de quelques paramètres de savoir-vivre : ne suis-je pas le maître de maison qui reçoit? —, j'attribue les places sur le plateau, je téléphone le tout à Anne-Marie Bourgnon, mon assistante, qui le transmet au réalisateur, et je commence la préparation avec la matière première de l'émission : les mots. Dans l'ordre :

1) relecture pour chaque livre de toutes mes notes et de tous les passages soulignés ;

2) établissement sur des fiches des « passerelles » entre les livres et les auteurs : en quoi ils sont d'accord, sur quoi ils ont des positions divergentes, comment ils se complètent ou s'opposent, quelles réactions espérer des uns et des autres, qui aura plaisir ou déplaisir à s'exprimer sur tel fait ou sur telle idée, etc. ;

3) rédaction sur la première page blanche de chaque livre des deux ou trois premières questions à poser, puis de quelques mots de référence qui me permettront de poser les suivantes ou d'aiguillonner ma mémoire ;

4) relecture de l'ensemble avec l'intercalation de signets, toujours roses, aux pages dans

lesquelles je serai peut-être amené à lire quelques lignes ou auxquelles on se référera peut-être ou qui déclencheront peut-être une controverse ou que je devrai retrouver très rapidement en cas de contestation...

Vous avez deviné que j'ai beaucoup plus de munitions qu'il n'en faut pour une émission de soixante-quinze minutes, mais c'est parce que je suis lourdement chargé que je me sens libre et léger pendant l'émission.

Vers 19 h 30, douche, Gillette, ongles, costume, cravate. J'écoute pendant ce temps la radio. Parfois un peu de journal télévisé de 20 heures. Je réfléchis aux trois ou quatre phrases que je vais dire, pour présenter l'émission, avant le générique du début. Une caresse à mon chat. Et en route pour la rue Jean-Goujon — car, le soir, l'entrée d'Antenne 2 avenue Montaigne est fermée. Je gare ma voiture dans la cour — c'est un privilège ! Il est 21 heures et, bien souvent, mes invités sont arrivés avant moi. Maquillage. Photographies. Apostrophes. Claude-Jean Philipe. Commentaires autour d'un verre d'eau, de jus de fruit ou de whisky. Souper chez Lipp, vers minuit, avec mes collaborateurs. Retour chez moi. Lecture de *L'Équipe* achetée à une personne courageuse qui vend le journal aux noctambules de Saint-Germain-des-Prés.

Vers deux heures et demie du matin, exténué, je me couche et m'endors aussitôt...

... Pour me réveiller deux ou trois heures après, encore plus exténué par l'émission que je suis en train de refaire, la moindre erreur commise par moi prenant dans l'accablante et implacable logique du rêve des allures de crime. Même une émission que j'estime réussie me laisse peu de repos. Il y a toujours un moment où l'on aurait pu faire mieux. Mais quand je considère l'émission ratée — et une émission ratée c'est toujours la faute de son producteur-animateur, qui a tous les pouvoirs —, le ressassement de mes bévues, lesquelles sont grossies par le travail masochiste du cerveau et la mortification nocturne de la conscience, devient si intolérable qu'il me tire de mon sommeil et m'oblige à affronter le souvenir douloureux de l'émission les yeux ouverts... Au matin, bien sûr, je me dis que tout cela n'est pas si grave. À condition de ne pas recommencer vendredi prochain...

Faut-il ajouter après cela que, sauf rare exception, je ne regarde jamais l'enregistrement de l'émission ?

P. N. – Le principe, très nouveau, d'Apostrophes aura donc été de faire dialoguer entre eux des gens qui, très différents de famille et de niveau, auraient certainement refusé autrefois, du beau temps des «avant-gardes», de s'entrevoir et de s'entrelire. Non seulement la clé de sa réussite est là, mais sa marque d'époque. Un bon pourcentage de téléspectateurs jugent le livre à la tête de l'auteur et ne se souviennent plus le lendemain de quoi il s'agissait. D'après vous, est-ce dans le fond une bonne chose ou un risque de «confusion des langages»? Le méli-mélo ne vous fait-il pas regretter parfois une émission plus centrée qui ferait plus franchement apparaître les clivages d'esthétique et d'écoles, les bonnes raisons que, dans la littérature comme dans les idées, les auteurs peuvent avoir d'être en désaccord?

B. P. – Hé quoi! vous voudriez que j'aie le regret d'une émission que vous auriez aimé voir ou que, peut-être, vous auriez aimé faire vous-même? Cette émission sur les écoles, sur les clivages esthétiques, sur les querelles de chapelles, sur les exclusions philosophiques, elle serait sûrement passionnante pour quelques milliers de personnes, mais, sérieusement, l'imaginez-vous hebdomadaire et programmée à 21 h 30? Elle aurait sa place sur la Sept, mais évidemment pas sur une chaîne populaire comme Antenne 2 dont les ressources proviennent pour 60 % de la publicité. C'est, comme je l'ai dit, le méli-mélo qui, en partie, a fait le charme et le succès d'Apostrophes. Que ce méli-mélo soit source de confusion des valeurs, c'est probable. Qu'un intellectuel professionnel comme vous, éditeur de livres souvent difficiles, lus par d'autres intellectuels, préfère une émission plus rigoureuse et plus profonde, cela me paraît aller de soi. J'y reconnais la marque de votre exigence. Mais je ne vous confierais pas la direction des programmes d'Antenne 2...

Il est vrai également que beaucoup de téléspectateurs «jugent le livre à la tête de l'auteur», et j'ai même écrit un jour qu'il y a de meilleures façons d'honorer l'intelligence — le choix par la critique, par exemple. J'en conviens toujours. Avec cette double nuance : à la tête de l'auteur le téléspectateur ne juge pas le livre, mais de son intérêt à l'acheter et à le lire ; la télévision est un formidable jeu de têtes, de visages, d'yeux, de bouches, tous les discours, y compris le discours littéraire, passent par ce spectacle «entêtant», et si l'on considère que la littérature s'y dévoie, s'y banalise, s'y réduit ou s'y abêtit, qu'elle n'a pas à se justifier et à s'expliquer, qu'à fréquenter des caméras elle s'abaisse à la simplification et à l'anecdote, il faut que les écrivains restent chez eux. Mais alors quel mépris du public ! Ce que la télévision prend à la lecture, elle le rend un peu, pas assez, aux livres dont les auteurs acceptent d'y paraître. Leur désertion serait tout bénéfice pour la télévision bas de gamme et la propagation de l'inculture.

P. N. – Vous avez prononcé au début un mot fort : promotion. Vous vous considérez comme un promoteur qui, à la différence du critique, vante indifféremment le « produit ». Or l'histoire a fait de vous le critique le plus important, et même le seul qui compte. Comment vivez-vous cette responsabilité que vous n'avez pas cherchée ? Qu'en pensez-vous ?

B. P. – C'est parce que j'ai une très exigeante idée du métier de critique que je ne me suis jamais considéré comme tel. Un critique littéraire, c'est une mémoire livresque considérable plus une culture tous azimuts plus l'esprit de découverte plus un fort pouvoir d'analyse plus un vrai talent d'écrivain. Étant loin de réunir tout cela, je n'aurais jamais accepté de tenir un feuilleton, pas même une modeste rubrique régulière de critique.

J'estime posséder en revanche les qualités d'une variété de journalistes, moins cotés que les critiques, qu'on appelait autrefois les *courriéristes*. Comme le mot l'indique, ils courent la ville pour alimenter une rubrique, ils questionnent, fouinent, recueillent des informations, des échos, des potins, font des interviews, parfois des enquêtes. Le courriériste est un reporter spécialisé dans le théâtre, la musique, les lettres, etc. Le courriériste est un reporter culturel. C'est ce que j'ai fait pendant quinze ans au *Figaro littéraire*, puis au *Figaro*, et que, d'une autre manière, j'ai continué de faire à la télévision, à ceci près que ce sont les auteurs qui courent jusqu'à mon studio pour y être interrogés. Mais la manière et les résultats sont les mêmes : obtenir des réponses (informations, confidences, confessions, commentaires) à des questions posées par un journaliste et les transmettre — instantanément dans le cas de la télévision en direct — à un public, comme le journaliste, curieux, voyeur.

C'est donc un contresens que de faire de moi un critique. D'ailleurs les critiques ne s'y trompent pas, ils savent bien que je ne suis pas de leur famille, de la vraie, celle qui a des lettres de noblesse, ou que si j'en suis c'est à titre d'oncle d'Amérique, nouveau riche tapageusement médiatisé. (La plupart des critiques publiant des livres, ils ont évité de me placer devant mon indignité.) Je sais bien, certes, que choisir des livres, privilégier ceux-ci et rejeter ceux-là, c'est le premier acte du critique. Enfin, je donne parfois mon sentiment sur le texte que j'ai dans les mains. Mais une ou deux phrases, quelques adjectifs, un compliment spontané, c'est de la critique ou du bouche à oreille ?

Oui, je revendique pour Apostrophes le mot *promotion*. Promotion des livres, de la lecture, du plaisir de lire. Promotion des mots par le truchement des images. Promotion des idées, du travail intellectuel, de la réflexion. Promotion de l'acte d'écrire. Promotion de l'édition, de la librairie et des bibliothèques. Promotion des lecteurs.

Non, je ne vante pas indifféremment le « produit », puisque je sélectionne, choisis, pousse celui-ci, ironise sur celui-là, recommande une collection, etc. Serais-je donc à vos yeux un publicitaire ou un camelot qui fait son baratin sur n'importe quoi, pourvu que ça ait les apparences d'un livre ? Si tel avait été mon emploi, ou si le public m'avait reçu comme tel, l'émission, étouffée sous son imposture, eût cédé la place depuis très longtemps.

P. N. – Comment imaginez-vous l'état mental d'un lecteur qui depuis quinze ans aurait lu tous les livres que vous avez recommandés et qui n'aurait lu que ceux là ?

B. P. – N'ayant encore souffert d'aucune crise de démence, j'estime que ce lecteur serait tout à fait fréquentable. Une coupe verticale de son intellect nous montrerait sûrement des strates culturelles très confuses, d'une diversité anarchique. Mais, au beau milieu de ce magma livresque, ce fouillis de noms, de titres et de mots, ce capharnaüm journalistique, peut-être trouverait-on l'une de ces balles de ping-pong fêlées ou cabossées sur lesquelles, enfant, je dessinais avec maladresse un autoportrait aux yeux rieurs et à la bouche gourmande. Je finissais toujours par le détruire en lui ajoutant de sévères ou arrogantes moustaches, que je n'ai donc jamais laissées pousser.

Lecteur public

Pierre Nora – Voilà, les feux sont éteints. Vous avez fait une sortie en apothéose. De Gaulle et vous resterez les deux gloires nationales consacrées en 1990. Bravo ! J'ai le sentiment de m'adresser maintenant au premier panthéonisé vivant. Votre cote est au zénith, parlons donc de celle de l'émission : était-elle aussi ascendante et comment a-t-elle évolué ?

Bernard Pivot – Votre ironie mérite une récompense : confidentiellement, j'ai demandé à mes illustres collègues qu'on installe des bibliothèques sur les murs très froids du Panthéon... Avec l'accroissement du nombre de chaînes, l'audience d'Apostrophes, comme celle de toutes les émissions, a baissé. Quand trois chaînes se partageaient le gâteau, les tranches étaient d'évidence plus grosses que lorsqu'il fallut satisfaire trois appétits supplémentaires.

D'autre part, l'audience générale d'Antenne 2 ayant décliné au milieu des années quatre-vingt et, sous les coups de TF 1 privatisée, ayant chuté, Apostrophes en a ressenti les effets, moins cependant que d'autres émissions, comme « Champs-Élysées », qui avait perdu plus de la moitié de son audience.

Il n'y a pas d'émission, quelle qu'elle soit, qui ne soit tributaire de la santé de sa chaîne. La star, c'est la chaîne. Si son audience et sa renommée s'accroissent, toutes les émissions en profitent, et celles qui n'en profitent pas passent vite de vie à trépas. Si, au contraire, l'audience et le prestige d'une chaîne s'effilochent, toutes les émissions en pâtissent, même les plus enracinées dans la faveur du public. Quand Pierre Desgraupes en était le patron, Antenne 2 bénéficiait d'un bonus — d'audience et de notoriété —, alors que TF 1 était la victime d'un malus. Par la suite, la tendance s'est inversée, et, depuis plusieurs années, TF 1, chaîne à la mode, performante, jouit d'un agréable bonus, qui se traduit surtout dans les chiffres d'audience, pendant qu'Antenne 2 lutte contre un malus qui la ronge et qui en a fait une chaîne déprimée. La star, c'est la chaîne.

Considérons l'enquête de Daniel Karlin et Tony Lainé « L'amour en France », dont le retentissement médiatique a été considérable. Elle a recueilli, au fil des semaines, sur Antenne 2, une audience comprise entre 3,2 et 8 points (Médiamat-Individus ; 1 point = 500 000 téléspectateurs). Il est évident que son succès eût été bien plus important si elle avait été diffusée sur TF 1, probablement entre 5 et 12 points, peut-être plus. Diffusée sur FR 3, chaîne moins regardée qu'Antenne 2, son score se serait situé entre 2,5 et 6 points, et les chiffres eussent été encore plus bas sur la Cinq et sur M 6. La star, c'est la chaîne.

Quand la Cinq, à sa naissance, a acheté à prix d'or les services de Stéphane Collaro, Patrick Sabatier et Patrick Sébastien, les professionnels de la télévision ont découvert, étonnés, que, même si l'on tenait compte de l'« arrosage » encore restreint de la nouvelle chaîne sur l'ensemble du pays, les trois animateurs ne rassemblaient que des publics maigrelets, sans rapport avec leur coût et leur popularité. Revenus sur TF 1, ils ont aussitôt retrouvé leurs gros bataillons de téléspectateurs. La star, c'est la chaîne.

À l'exception d'Anne Sinclair et de Christine Ockrent — qui ajoutent la beauté et le charme à leurs qualités professionnelles — et de Jacques Martin, qui peut remporter des succès sur d'autres scènes que la télévision, celle-ci ne produit pas de stars. Elle porte momentanément au pinacle de la notoriété des journalistes et des animateurs qui, si leur savoir-faire est reconnu, doivent cependant l'essentiel de l'admiration qu'on ne leur mesure pas à l'audience générale de leur chaîne (l'une des raisons pour lesquelles Michel Drucker a quitté Antenne 2, c'est qu'il compte regagner rapidement sur TF 1 l'audience perdue), à la formule de leur émission (le journal de 20 heures est un tremplin parfait), à la popularité ou au prestige de leurs invités (hommes politiques, chanteurs, comédiens, écrivains, champions, etc.). Que les vedettes du petit écran quittent leur emploi, elles sont vite oubliées ; qu'elles passent d'une grosse à une petite chaîne, celle-ci monterait-elle (Michel Polac de TF 1 à M 6), elles s'étiolent. Je suis convaincu que si, demain, je reprenais Apostrophes sur la Cinq, ça ne marcherait pas, parce que l'émission ne serait pas en harmonie avec l'image de la chaîne, elle détonnerait dans sa programmation. Pour les mêmes raisons, Apostrophes ne se serait pas hissée, sur TF 1 privatisée, aux scores d'audience que réalisent les magazines de cette chaîne, alors que sur Antenne 2 mon émission soutenait la comparaison à l'Audimat avec les magazines de reportage et de débat de la chaîne. La star, même souffrante et un peu désargentée, c'est Antenne 2, et non Pivot, mais la réussite de celui-ci chez celle-là est un heureux effet d'une symbiose, d'une cohérence, d'un mystérieux équilibre entre un mouvement général et une trajectoire particulière.

TF 1 a eu raison pour son image de lancer « Ex-libris ». Mais, émission atypique sur une chaîne commerciale, surtout dans ses débuts où elle était résolument littéraire, « Ex-libris », quoique animée par Patrick Poivre d'Arvor, journaliste rendu célèbre par dix années de journal de 20 heures, est, jusqu'à présent, un échec d'audience. Car l'émission ne profite pas du fameux bonus de TF 1 et elle est loin d'approcher les scores les plus bas des autres magazines de deuxième partie de soirée de la chaîne. Elle ne fait de l'audience que lorsqu'elle se dechavannise ou s'ushuaïase, quand elle est le moins littéraire possible, c'est-à-dire lorsqu'elle rentre dans la logique de TF 1, quand elle en rejoint le courant dynamique et porteur. La grande star, c'est TF 1.

Dans les chaînes privées, la culture sert à « faire de l'image ». Mieux vaut sa présence pour la réflexion des miroirs, et non celle des citoyens, qu'une absence totale. Il est vrai que le public, en choisissant en masse, presque tous les soirs, le divertissement, n'encourage guère les audaces. Commercialement la culture est pénalisante. Quand les « Dossiers de l'écran » proposent un débat sur un sujet culturel, et non, comme à leur habitude, sur des problèmes de société, leur audience s'effondre. *Amadeus*, le film de Forman, qui ne relève cependant pas du cinéma d'art et d'essai, ne rassemble un dimanche soir que 6 250 000 téléspectateurs, alors que, toujours un dimanche soir, à la même époque, *L'Alpagueur* hisse l'audience jusqu'à la barre des 11 550 000 et *Le Maître d'école* 11 250 000 téléspectateurs. Qui ne voit où est l'intérêt de TF 1 ?

Pourtant, si l'on en croit les sondages, les Français souhaitent plus de culture. Ils la veulent. Ils l'exigent. Mon œil ! *Télé Poche*, hebdomadaire sérieux, a publié un sondage Ipsos, institut sérieux, selon lequel un Français sur deux eût certainement regardé Apostrophes, si elle avait été programmée à 20 h 30. Comment peut-on lire de telles galéjades sans rire ? Les Français, qui lisent de moins en moins, qui vont de moins en moins au cinéma, qui ne regardent pas les programmes de la Sept sur FR 3, profitent des sondages pour affirmer avec détermination leur préférence pour la culture. Hou ! les hypocrites...

Ce n'est pas pour autant qu'il faut se décourager. Le service public a raison de continuer à investir dans des magazines culturels, comme « Caractères », de Bernard Rapp, qui a pris la succession d'Apostrophes, et comme celui que j'animerai au début de l'année 1991 sur Antenne 2. Saturés de divertissements faciles, de jeux d'argent, de feuilletons américains, beaucoup de téléspectateurs reviendront, lentement mais sûrement, à une télévision plus ambitieuse, ce qui ne signifie pas qu'elle doive être emmerdante. Apostrophes était parfois rasoir, mais, croyez-moi, c'était involontaire. J'ai toujours considéré que le premier irrespect qu'on doit à la culture, surtout à la télévision, c'est l'humour — lequel a d'ailleurs fait de beaux enfants à la culture.

P. N. – Mais vous ne m'avez toujours pas parlé des chiffres d'audience d'Apostrophes...

B. P. – J'y arrivais. En quinze ans et demi, la manière de compter les téléspectateurs a changé plusieurs fois, le thermomètre qui étalonne la fièvre devant le petit écran ayant été cassé à deux ou trois reprises et remplacé chaque fois par un modèle plus fiable. Il est donc difficile de comparer des chiffres qui n'ont pas été obtenus de la même façon. Disons que, jusqu'à mi-course, de 1982 à 1984, Apostrophes était suivie par deux millions et demi — chiffre plancher — et — chiffre plafond — cinq millions de téléspectateurs. Mais ces scores flatteurs sont probablement au-dessus de la réalité, pour la raison qu'à ce moment-là le panel remplissait après coup des fiches d'écoute et que, comme dans les sondages sur la culture, quelques sondés, pour ne pas paraître idiots devant les sondeurs, cochaient Apostrophes quand ils avaient regardé l'émission de variétés concurrente...

Celui qui, malin, a fait baisser l'écoute d'Apostrophes, c'est Hervé Bourges en reculant sur TF 1 le fameux « Carrefour » de 21 h 30 ou 22 h à 22 h 30 et plus, le vendredi. Si l'on choisissait, dès 20 h 40, de regarder Patrick Sabatier, c'était donc, sauf exception, sans intention d'abandonner l'émission en son milieu pour passer à 21 h 30 sur Apostrophes. Or il faut savoir que la plupart des foyers ne possèdent qu'un poste de télévision et quand, divisée, la famille doit choisir entre une émission culturelle et une émission de variétés, c'est celle-ci qui l'emporte presque toujours. Parce que le divertissement, pouvant être vu par tous, rassemble la famille, tandis que la culture, rejetée par certains, la divise.

Lors de ses deux dernières années, Apostrophes devait souquer contre « Avis de recherche », l'une des deux émissions qui faisaient le plus d'audience sur TF 1, contre « Thalassa », le seul magazine de FR 3 à obtenir de jolis indices, puis, quand « Thalassa » a été programmée à 20 h 30, contre une fiction inédite de prestige, contre un match de football sur

Canal Plus, enfin contre deux grosses fictions américaines sur la Cinq et M 6. J'avais l'impression d'être sur une barque, à la lutte avec des trimarans et des paquebots. N'empêche que l'audience s'est maintenue, durant le premier semestre 1990, et ultime semestre de l'émission, entre 1 700 000, chiffre plancher pour quelques émissions difficiles, très littéraires, ou des vendredis de grands départs, et, chiffre plafond, 3 600 000 téléspectateurs (pour votre information, la dernière Apostrophes, commencée dès 20 h 45, et terminée à 23 h 30, a été vue en moyenne par près de 4 300 000 personnes). De tous les magazines culturels qui se sont succédé depuis quinze ans, Apostrophes aura été, et de loin, celui qui réunissait le plus d'abonnés (moyenne Médiamat-Individus d'Apostrophes durant le premier semestre 1990 : 4,85 ; moyenne d'« Ex-libris » : 2,72). Ces chiffres n'étonnent guère les Français, mais font rêver les Américains, alors qu'on les sait portés vers les multitudes.

P. N. – Apostrophes a été périodiquement concurrencée par d'autres émissions littéraires à la télévision : celles de Georges Suffert, de Michel Polac, puis de Patrick Poivre d'Arvor. Comment avez-vous pris les choses et vécu la rivalité ?

B. P. – En quinze années, il y eut, tout compte fait, pas mal d'émissions concurrentes d'Apostrophes. Aux animateurs que vous citez, il faut ajouter Jérôme Garcin, sur FR 3, Jean d'Ormesson et Jacques Paugam, Christiane Collange et Jean Ferniot, sur TF 1. D'autres encore.

Aimant le sport, je trouve normal que des émissions littéraires soient entrées en compétition avec la mienne. Mais il ne fallait pas attendre de moi que je les laisse gagner. Je suis plutôt enclin à ne jamais négliger l'adversaire et à me sentir stimulé par la concurrence. Je n'en travaillais que davantage.

Que les émissions de variétés ou de spectacles s'arrachent les vedettes ; que les émissions politiques ou les journaux de TF 1 et d'Antenne 2, de FR 3 et de la Cinq rivalisent pour obtenir avant les autres les déclarations d'un ministre ou d'un chef de l'opposition, ou pour diffuser un document inédit ; que les services des sports des deux principales chaînes soient engagés dans des courses de vitesse pour amener sur leur plateau, les premiers, les champions du week-end ; qu'à tous les niveaux et dans tous les domaines, il y ait compétition entre les chaînes — comme il y a compétition entre les quotidiens, entre les hebdomadaires, et même entre les quotidiens et les hebdomadaires, pour décrocher et diffuser un *scoop*, tout le monde trouve cela légitime. C'est la loi du journalisme. C'est aussi la loi du spectacle. Pourquoi n'en serait-il pas de même avec les émissions sur les livres?

Elles entrent fatalement en concurrence dès que se pointe à l'horizon un écrivain célèbre, un document choc ou un livre de grande qualité. Chacune veut être la première à recevoir l'auteur. Ainsi exigeais-je des priorités — et non des exclusivités avec lesquelles on les confond. Alexandre Soljenitsyne, filmé chez lui, c'est une exclusivité. Umberto Eco, d'abord à Apostrophes, c'est une priorité. Je n'aime pas le mot exclusivité qui proclame l'exclusion. Je ne l'emploie jamais, d'abord parce qu'il rend fat celui qui s'en gargarise, ensuite parce que le public est capable de repérer ce qu'il y a de neuf, d'inédit, dans ce qu'on lui propose.

Trente fois dans l'année, Apostrophes et «Ex-libris» rivalisaient pour obtenir le premier passage d'un auteur. Pourtant Patrick Poivre d'Arvor affirmait dans toutes ses interviews que les deux émissions n'étaient pas concurrentes. Ah bon. Mais alors pourquoi achetait-il à l'étranger des interviews d'auteurs qu'il faisait passer pour inédites en en retirant les questions et qu'il diffusait juste avant le passage de ces auteurs à Apostrophes? Et pourquoi, après que des éditeurs m'avaient marqué plusieurs fois de suite leur préférence, leur envoyait-il une lettre de colère et de rupture?

Les éditeurs ne sont pas de purs esprits. Devant plusieurs propositions, qui s'excluent les unes les autres, ils choisissent celle qui leur paraît la plus prometteuse pour la carrière du livre. Ou bien c'est l'auteur qui, ravi d'être l'objet d'une compétition, donne sa préférence. En règle générale, il aimerait aller partout où on le demande. Il saisit mal que, passé par ici, il ne puisse passer par là. Mais le public ne serait-il pas choqué, alors que les livres sont innombrables, les auteurs des centaines et des milliers à espérer une petite place dans une émission littéraire, de voir les mêmes écrivains se succéder dans les fauteuils spécialisés?

Dans la concurrence avec les autres émissions de télévision, j'appliquais cette règle : si je retenais ferme un auteur pour une date précise, ou, à plus forte raison, si je faisais coïncider Apostrophes avec la sortie du livre, j'exigeais la priorité. Mais, dans les cas où je repoussais à plus tard une invitation hypothétique, je laissais les attachées de presse répondre favorablement à d'autres sollicitations. Elles savaient qu'elles perdaient alors presque toute chance de voir leur auteur à Apostrophes, d'où le risque que couraient certaines en différant le plus longtemps possible leur réponse à la concurrence, jusqu'à ce que je dise oui ou non. Vous êtes vraiment dans les coulisses de l'émission...

Mais il est arrivé, très rarement, que j'invite un auteur passé peu de temps auparavant dans une production rivale, soit parce que j'aimais beaucoup son livre et que j'en avais besoin pour compléter un « plateau » (par exemple, Charles Juliet pour *L'Année de l'éveil*), soit parce que, toujours dans le cas d'un livre passionnant, j'estimais que l'auteur n'avait pas apporté ailleurs, à des questions qui ne lui avaient pas été posées, les révélations ou les réflexions qu'on pouvait en attendre (par exemple, Hélie de Saint-Marc, pour *Hélie de Saint-Marc*, par Laurent Beccaria).

Avec les nombreux champions des autres chaînes lancés à l'assaut d'*Apostrophes*, j'ai eu des relations normales de concurrence. Les deux seuls avec qui j'ai été fâché sont Georges Suffert et Patrick Poivre d'Arvor.

Georges Suffert parce qu'il avait délibérément lancé une émission intitulée « La rage de lire », calquée sur *Apostrophes*. Il ne se cachait pas d'avoir copié. Il estimait qu'il n'y avait pas d'autre façon de faire à la télévision un magazine sur les livres. Je jugeais le procédé assez raide et je l'ai dit à la presse. Peut-être ai-je eu tort ? J'aurais pu, avec un peu plus d'humour, considérer son imitation comme un hommage. L'ennui c'est que, faisant la même émission, nous n'étions pas seulement en compétition sur les auteurs, mais aussi sur les thèmes. Ce qui nous départageait, c'était la manière, le ton, le rythme. Georges Suffert avait une grosse qualité : non seulement il lisait les livres, mais il était compétent, très cultivé, expert en bien des choses. C'était aussi son défaut : il en savait souvent autant, sinon plus, sur certains sujets, que ses invités, de sorte que c'était moins un journaliste qui interrogeait des écrivains, qu'un intellectuel qui s'entretenait avec d'autres intellectuels, et qui parfois voulait leur en remontrer et ne faisait pas mystère de ses convictions. Je l'ai dit, je crois à la modestie et à l'ignorance réceptrice et inquiète de l'animateur.

Avec Patrick Poivre d'Arvor, j'ai d'abord salué qu'il se lançât dans une émission ambitieuse sur les livres, très différente d'Apostrophes. Mais quatre mois après ses débuts, il se répandait dans la presse en claironnant des triomphes usurpés. Pas de semaine qu'il n'avançât des audiences supérieures à celles d'Apostrophes. Les quotidiens reproduisaient ses déclarations sans les vérifier. Si l'on m'avait posé la question : « Qui, dans l'équipe d'"Ex-libris", aimeriez-vous engager ? », j'aurais répondu sans hésiter : l'attachée de presse. Un jour, excédé par les rodomontades de P.P.D.A., j'ai obtenu de *L'Événement du jeudi* qu'il publiât les vrais chiffres de l'Audimat. Depuis, les choses ont été de mal en pis. Au point qu'après vous avoir fait inviter pour le numéro du dixième anniversaire du *Débat*, il vous a fait décommander quand il y a découvert notre entretien. Baste !

À mon avis, pour leur originalité et leur sérieux, les deux meilleures émissions littéraires concurrentes d'*Apostrophes* ont été « Boîte aux lettres » de Jérôme Garcin, sur FR 3, et « Libre et change », de Michel Polac, sur M 6.

P. N. – Pendant ces quinze années d'*Apostrophes*, les chaînes de télé ont beaucoup bougé et se sont multipliées. Comment vous y êtes-vous adapté ? Comment avez-vous intégré le zapping ?

B. P. – Amusant que ce soit vous qui évoquiez le zapping, à propos duquel aucun journaliste ne m'a jamais posé une question. Or je tiens l'appareil à zapper, la télécommande, pour l'une de ces inventions qui ont modifié, non seulement notre comportement devant et avec la télévision, mais aussi, assez profondément, nos manières, notre psyché. Je n'irai pas jusqu'à dire que les changements apportés par la pilule anti-conceptionnelle n'ont pas été plus importants et plus déterminants que ceux qui ont découlé de l'utilisation quotidienne, permanente, frénétique, maniaque, de la télécommande, mais je soutiens que ce que cette dernière a déplacé en nous compte plus qu'on ne croit.

Le zapping — pitonnage, en québécois — c'est d'abord, qui ne l'a constaté ?, le don d'ubiquité. Il suffit d'appuyer avec son pouce sur des boutons pour passer d'un western à une émission politique en direct de Matignon, d'un match de rugby en Nouvelle-Zélande à un clip de rock, à un téléfilm qui se déroule en Provence ou à un jeu dans un studio des Buttes-Chaumont. On est partout en même temps ou presque, on fonce d'un lieu à un autre, on saute d'une histoire à une autre, on rompt un discours pour en attraper un autre, on se soustrait brutalement à une logique, à une cohérence, pour, avec tout autant de violence, s'insérer dans une autre logique, dans une autre cohérence, que nous abandonnerons peut-être dans l'instant, ne serait-ce que parce que nous ne les comprenons pas, pour voler vers d'autres images, supposées attractives, que nous choisirons de regarder ou de rejeter sur des réflexes, des humeurs, des pulsions. Vieux rêve de l'homme, la conquête de l'ubiquité repose dans un petit boîtier à portée de la main. Les enfants s'en servent sans retenue. Il leur paraît tout à fait naturel d'être des ubiquistes.

Le miracle d'être ici et là en même temps est apparu avec la première chaîne de télévision puisque, à la réalité des images datées et localisées qu'elle diffusait, s'ajoutait, on aurait tendance à l'oublier, la réalité de l'endroit où était installé le poste. Avec la multiplication des chaînes, on a pu passer d'un spectacle à un autre, donc d'un lieu à un autre, et, si l'on éteignait le poste, c'était encore choisir un lieu, celui où la télévision n'était plus qu'un meuble parmi d'autres. Mais tant qu'il fallait se lever pour changer de chaîne, tant qu'il fallait se déplacer, faire un effort, prendre l'initiative de se déranger, il n'y avait pas ubiquité. Celle-ci est fondée sur la rapidité de décision et d'intervention dans le confort. Le cul dans un fauteuil, un doigt sur un bouton, l'ubiquiste zappe à volonté, à son rythme. Il est omniprésent.

Il l'est plus encore avec le câble qui propose une chaîne sur l'image de laquelle sont rassemblées les images en direct de seize chaînes. Soit, fasciné par l'abondance de ce qu'il regarde, l'ubiquiste reste là, ne zappe plus, se prend pour un Dieu tout-puissant qui voit tout, et son esprit, emporté par un maelström d'images, risque de sombrer dans la confusion. Soit il choisit l'une des seize images — en général, la plus spectaculaire, la plus agressive ; peu de chance d'élire un homme qui parle quand, à côté, on se poursuit en voiture, on fait l'amour ou on tape dans un ballon — et il zappe sur la chaîne qui diffuse l'image retenue. Choisir instantanément où l'on veut être, c'est encore un privilège du zappeur câblé.

Malheureusement, à vouloir être partout le zappeur n'est plus nulle part. Pour lui plus de spectacle en continu, mais une succession de fragments. Il ne regarde plus, il sonde. Il ne s'installe plus, il saute. À la durée il préfère le va-et-vient ; à la fidélité le vagabondage ; à la connaissance les flashes. Ne voulant rien rater, il est de toutes les histoires et de tous les discours, mais sans y entrer vraiment, de sorte qu'il manque l'essentiel. Le papillon ne passe pas pour un esprit sûr et profond. L'omniprésence du zappeur se paie d'une culture émiettée, parcellaire, au hasard du pouce. Le monde ne se révèle plus à lui qu'en pointillés. Il fabrique chaque soir des puzzles dont il ne pourra jamais ordonner les pièces. Plus il appuie fréquemment sur la miraculeuse télécommande, plus il aspire à être le voyeur de toutes les réalités, et plus il décroche de la réalité. Le zapping fabrique des esbroufeurs impatients.

Or, il est impossible que les habitudes contractées devant la télévision ne se retrouvent pas ailleurs. Comment lire placidement un journal quand on a dans l'œil l'impatience de l'ubiquiste ? Comment lire un livre dans sa longue continuité quand on est un zappeur invétéré ? Je suis convaincu qu'une des raisons pour lesquelles les jeunes lisent de moins en moins, c'est l'inaptitude de l'écrit à se prêter aux pratiques du zapping. On en est cependant conscient dans la presse lorsque l'on parle de ménager dans une enquête plusieurs « entrées », lorsqu'on s'efforce de déstructurer un article-fleuve en rivières et ruisseaux dont il sera plus tentant et plus facile d'emprunter le cours. Mais quel zapping pour *Guerre et Paix*?

Comment aussi ne pas être exaspéré dans les choses ordinaires de la vie par leur lenteur, leur uniformité, leur répétition, quand la télécommande nous permet, plusieurs heures par jour, de changer à tout instant, d'effacer, de fuir, de revenir, de repartir, d'être ailleurs dès lors que cela ne nous plaît plus d'être ici? Comment, inconsciemment bien sûr, ne pas demander à l'existence de nous offrir de nombreuses aventures concomitantes au milieu desquelles nous pourrions zapper? Un certain malaise naît de notre impuissance à nous multiplier, à nous transporter, alors que la télévision réalise ce genre d'exploits avec une facilité dérisoire.

Le zapping est une incitation fébrile et sournoise à exiger davantage des autres : qu'ils soient immédiatement disponibles, qu'ils répondent dans l'instant à nos appels, à nos ordres, qu'ils obéissent, comme à la télé, au doigt et à l'œil.

Le zapping nous donne des envies faramineuses — qu'on ne satisfera pas aisément, les yeux restant, comme dit la sagesse populaire, plus grands que le ventre (de la partouze comme zapping sexuel ; du sida comme anti-zapping du sexe), plus grands que le cœur et les mains. Malheur aux naïfs qui croient que zapper c'est vivre et qu'en conséquence vivre c'est zapper...

Le zapping, c'est encore, à domicile et à volonté, le pouvoir absolu. De couper le sifflet à un homme politique, à un journaliste ou à un chanteur. D'effacer toute personne qui dérange. D'occulter, d'une pression du pouce, une vérité insupportable ou une culture exigeante. De dire oui ou non. Le zapping, régal des petits chefs, joujou des beaufs. Revanche aussi pour les humiliés, les sans-grade. Il permet d'affirmer, en famille et pour soi-même, une autorité, un esprit de décision, une combativité, un esprit de résistance, une insolence, qu'on serait bien en peine de manifester ailleurs. C'est bon pour les nerfs et c'est sans risque. Je crains que le zapping, s'il peut prévenir quelques ulcères de l'estomac, n'encourage l'intolérance. Au mieux le je-m'en-foutisme.

Est-ce que, d'ores et déjà, l'activité la plus répandue dans le monde ne serait pas le zapping ? Ces centaines de millions d'individus qui, à toute heure (avec les décalages horaires), appuient avec frénésie sur des centaines de millions de télécommandes... Nous sommes déjà, nous serons demain tous des zappeurs. L'ubiquité universelle. Pouce! je change. Pouce! je m'en vais. Pouce! allons voir ailleurs. Pouce! Pouce! Je zappe, donc je suis. Avec une télécommande et une chasse d'eau, l'homme est un animal sédentaire qui vit heureux.

Excusez, je vous prie, cette longue digression sur le zapping. Et j'en viens à la réponse à votre question : oui, durant les deux dernières années d'Apostrophes, dans ma construction de l'émission, je prenais en compte ce phénomène nouveau. Mais en tâtonnant, plutôt au pif. M'efforçant, par exemple, de commencer avec un livre fort, qui serait défendu, je l'espérais, avec éclat, alors que, précédemment, j'inclinais plutôt à débuter avec un ouvrage qui ne constituait qu'un agréable hors-d'œuvre, l'émission montant alors en puissance. Tout en respectant une certaine logique thématique, j'ai essayé, dans les cent dernières d'Apostrophes, par crainte du zapping, de ne pas bloquer ensemble les moments spectaculaires de l'émission et, par conséquent, de faire un long tunnel avec les moments plus difficiles ou rébarbatifs. Alterner quarts d'heure supposés passionnants avec quarts d'heure présumés moins attractifs. Parfois ça marchait, parfois ça ne marchait pas, parce que mes prévisions étaient déjouées par un auteur inconnu qui se révélait remarquable, tandis qu'un écrivain dont Apostrophes avait déjà eu l'usage et en qui j'avais confiance sombrait dans le pathos ou la banalité. Alors j'imaginais des dizaines de milliers de pouces qui s'agitaient au-dessus de la télécommande...

P. N. – Certaines émissions, pour une raison ou pour une autre, ont été enregistrées et projetées en différé. Le téléspectateur n'y voit que du feu. Sentez-vous, vous, une différence, même si l'enregistrement se passe dans les conditions du direct ?

B. P. – Avec le direct, on n'a pas le droit à l'erreur. Avec le différé « dans les conditions du direct », on a toujours la possibilité de procéder à une petite rectification au cours d'un montage rapide. On a surtout l'opportunité d'arrêter l'émission dans ses débuts, si une faute gênante a été commise, et de recommencer. C'est ce qui s'est passé quatre ou cinq fois — soit parce qu'un technicien distrait avait oublié d'enclencher le magnétoscope ou d'envoyer la musique de Rachmaninov, soit parce que je m'étais trompé dans le petit texte de présentation de l'émission. Dans tous les cas, il y a manque flagrant de concentration. Même si on n'y pense pas, on sait qu'une erreur peut être réparée au cours des premières minutes de l'émission, et cela retire de la détermination, de l'attention formidables qui accompagnent le vrai direct — où ce genre d'incident est très rare.

J'aime si peu le vrai faux direct que je demandais au réalisateur de commencer l'enregistrement entre 21 h 30 et 21 h 45, comme le vendredi, et de diffuser sur le plateau de la publicité, pour me donner l'illusion, ainsi qu'à mes invités, que c'était comme d'habitude. Ô fragilité de l'animateur qu'on croit pourtant si sûr de lui ! Sitôt entré dans le vif de l'émission, tout le monde oublie les conditions dans lesquelles on tourne et il n'y a plus de différence avec un vrai direct. Reste que, inexplicablement, j'ai beaucoup plus le trac avant un faux direct qu'avant un vrai. Peut-être parce que, je l'ai dit, le risque étant moins grand, je me sens moins aiguillonné par celui-ci ; peut-être aussi parce que cette petite duperie me gêne. Ou on est en direct ou on n'y est pas, sacrebleu ! Un différé ne peut pas se passer «dans les conditions du direct», puisque la première de ces conditions, le risque, n'existe plus. Nous sommes en plein paradoxe, du genre : «Même mouillés, ils sont secs», publicité pour Pampers.

Le vieux psychiatre Henri Baruk, ayant dit

beaucoup de mal de quelques-uns de ses confrères absents du plateau, me confia à l'oreille, après l'émission : «J'y suis allé un peu fort, me semble-t-il. Soyez gentil, coupez cela au montage ! » « Mais professeur, lui ai-je répondu, nous étions en direct ! »

P. N. – Vous aviez auprès des éditeurs une réputation d'«incorruptible». Manœuvres inutiles, pressions impossibles. «D'ailleurs il ne fréquente pas beaucoup les écrivains, il préfère le foot et le vin.» Cette indépendance, avez-vous eu du mal à l'établir et à la défendre? Quelles formes prenait autour de vous la cour des éditeurs et des attachées de presse?

B. P. – L'indépendance, c'est d'abord une question de caractère. Certains ont les tendons fragiles, d'autres le foie, ou bien le sommeil (moi, c'est le sommeil), et d'autres encore le caractère. Maurice Noël, rédacteur en chef du *Figaro littéraire* quand j'y débutai, pouvait passer en quelques secondes de la bonace à la tempête, du charme à la colère. Ses sautes d'humeur étaient redoutées, mais je ne dirais pas aujourd'hui que c'était un homme de caractère s'il s'était contenté de claquer la porte après nous l'avoir pourtant ouverte avec aménité. Il était réellement indépendant des puissances économiques de l'édition et il savait se soustraire aux influences politiques et mondaines du rond-point des Champs-Élysées. Ce n'était pas un héros. Il disait non quand il jugeait qu'il devait dire non. Ce qui ne signifie pas qu'il avait chaque fois raison, surtout quand il s'opposait à une initiative qu'il prenait pour une manœuvre. Mais il décidait en son âme et conscience, aucun intérêt autre que celui de son journal n'entrait dans sa délibération.

J'ai donc été à bonne école. J'avais pour ambition d'être un excellent journaliste et, franchement, sauf grosse naïveté, aveuglement de ma part, je ne saisis pas bien comment on peut réussir *à long terme* dans ce métier, si l'on est fondé à écrire à côté de votre nom des chiffres ou des mots qui montrent une soumission aux douceurs et aux honneurs. C'est, entre autres raisons, pour échapper aux tentations que les journalistes doivent être bien payés.

Je n'ai été royalement rétribué par Antenne 2 que depuis la privatisation de TF 1 et la guerre des chaînes qui s'en est suivie pour enrôler les vedettes du petit écran. Je vous entends : combien ? combien ? Je gagnais assez d'argent pour susciter de cruelles envies et pas assez pour me valoir la considération. La publication des salaires, vrais ou supposés, de la télévision — pas mécontents les confrères de la presse écrite de semer la pagaille chez les nantis du petit écran — a causé un tort considérable à certains, Christine Ockrent notamment.

Il est intéressant de se demander pourquoi le public admet volontiers qu'un acteur, un patron ou un champion gagne beaucoup d'argent, et pas un animateur ou un journaliste de télévision. Trois raisons essentielles à cela. D'abord parce qu'il considère que ce que fait Gérard Depardieu, Antoine Riboud ou Jean-Pierre Papin, seuls ceux-ci peuvent le faire, alors que les blablateurs de la télé sont interchangeables (jouer magnifiquement *Cyrano*, développer mondialement B.S.N. Gervais-Danone ou accumuler les buts pour l'O.M. relève indubitablement de l'exploit, alors que ne sont pas évidentes les prouesses à lire un prompteur pour présenter le journal de 20 heures, à faire chanter des chanteurs ou à faire parler des écrivains). Ensuite, parce que si la télévision est bien la caisse de résonance de la réussite des meilleurs artistes, agents économiques ou athlètes, leur présence y est occasionnelle, tandis que c'est du petit écran, de lui seul, de son appropriation quotidienne, hebdomadaire, que les « stars » des six chaînes tirent leur célébrité, leur pouvoir et leurs revenus. Le public, même inconsciemment, fait la distinction entre créateurs et médiateurs. S'il adore ceux-ci, il rechigne à leur accorder des salaires aussi confortables qu'à ceux qui s'imposent sur la scène, dans une entreprise ou sur un stade. (Deux parenthèses : 1. les vedettes du foot, du tennis, du cinéma gagnent cependant beaucoup plus que les mieux rétribués de la télé ; 2. malheur aux créateurs qui ne relèvent pas du spectacle, comme ceux qui travaillent dans des laboratoires...). Enfin, les téléspectateurs, là encore d'une manière confuse, admettent mal que celui ou celle qui leur parle si gentiment, si simplement, à l'heure de la soupe ou du café, avec qui ils ont des liens si familiers, gagnent dix, vingt ou trente fois plus qu'eux, surtout quand ils se disent que par la redevance, donc leur fric, ils contribuent à payer ceux qui appartiennent au service public.

Mais, avant d'être l'un des bénéficiaires de la guerre des chaînes, je recevais pour Apostrophes un salaire sans éclat. Que j'aurais pu aisément doubler par des conférences, joliment rétribuées, ou par des « ménages ». On appelle « ménages » certaines activités lucratives auxquelles se livrent beaucoup de « stars » de la télévision et qui consistent à diriger des débats d'entreprises, à animer des braderies dans des supermarchés ou à vendre sa présence, son sourire et ses reparties à un congrès ou à une amicale. J'ai toujours refusé les « ménages », primo parce que ça m'emmerde, deuxio parce que c'eût été du temps pris sur mes lectures ou sur mes loisirs, tertio, et c'est peut-être la raison la plus importante, parce que mon indépendance risquait d'en pâtir. Comment être sûr, en effet, que le chef d'entreprise ou le président d'association qui, au terme d'un dîner-débat, m'aurait remis un chèque de cinquante mille francs pour ma prestation, n'allait pas publier un livre quelques semaines après ? Si ce n'était lui, sa femme ou son trésorier ? Le livre est nul, je n'invite pas son auteur, je passe pour un ingrat, c'est la moins mauvaise solution. Mais si le livre est intéressant ? Je n'invite pas l'auteur pour ne pas avoir l'air de..., et je suis à la fois ingrat et injuste ; je l'invite, et je cours le risque de passer pour un journaliste qu'on achète. Non merci !

Quatre ou cinq pièges misérables du genre : un ami d'un ami insiste, j'accepte un dîner, deux mois après je reçois le roman de l'amphitryon, m'avaient rendu méfiant envers toute invitation sympathique apparemment désintéressée. Je devenais soupçonneux jusqu'à la goujaterie. Par excès de suspicion, j'ai probablement blessé des gens sans calcul, aux intentions généreuses à mon égard. Mais qui n'écrit pas ?

Inutile, je pense, de vous dire que, pour ne pas y rencontrer des auteurs jamais invités — ah, leurs regards énamourés ou assassins ! —, je fuyais les cocktails d'éditeurs, les repas littéraires ou mondains et me faisais le plus rare possible au Salon du Livre de Paris.

Je n'ai pas non plus accepté de faire la publicité pour des voitures, des fromages, des assurances, les P. et T., du vin, etc., parce que, d'une part, cela est incompatible avec la déontologie du journaliste et que, d'autre part, le public aurait pu croire que, si j'étais rémunéré pour accroître l'achat de produits alimentaires ou l'utilisation des annuaires, je devais l'être aussi pour faire vendre des livres. J'eusse payé le gain d'une campagne de publicité par une grosse perte de crédit.

Je devais d'autant plus être irréprochable, insoupçonnable, que mon travail de journaliste avait pour finalité l'achat d'un produit : le livre. Quand un secteur du commerce, si restreint soit-il, est fortement influencé par ce que fait et dit à la télévision un journaliste, celui-ci ne peut pas ne pas être d'une honnêteté et d'une rigueur sans faille. Qu'une maladresse, qu'une faute soit commise, et l'on imagine, propagée par une rumeur jalouse qui tient enfin sa proie, la suspicion grandissante des professionnels. Leur confiance perdue, l'émission n'y eût pas survécu, ou alors dans la gêne et la morosité. Plus Apostrophes s'institutionnalisait et exerçait d'influence, plus j'étais obsédé par la crainte de nourrir quelque soupçon. C'est ainsi que j'ai

pensé mettre fin à des parties de tennis domini-
cales avec deux éditeurs : Olivier Orban et Carl
Van Eiszner (éditions Sand). Quelques-uns de
leurs confrères s'étonnaient de ces renvois de
balles et s'en inquiétaient. Après plusieurs
semaines d'hésitation, j'ai finalement décidé de
continuer, mais en veillant à ce que mon partenaire (Van Eiszner) et mon adversaire (Orban)
— le quatrième du double étant Gilles Lambert,
du *Figaro*, ou Bernard Pascuito, du *Journal du
Dimanche* — ne soient pas favorisés dans les sommaires d'Apostrophes. Ni lésés non plus, quand
même ! L'équilibre fut plus facile à réaliser que
le revers lifté décroisé. Mais deux ou trois
bonnes âmes, peut-être plus, considéraient que
tout auteur aux couleurs d'Olivier Orban devait
son passage à Antenne 2, le vendredi soir, aux
doubles fautes de son éditeur... Aurais-je dû,
aussi, pour égaliser leurs chances à Apostrophes,
jouer au tennis avec ou contre Simone Gallimard, Jean-Claude Fasquelle, Yvon Chotard,
André Balland, Pierre Angoulvent, Jeanne Laf-
fitte, Jérôme Lindon, etc. ? Pitié !

J'ajoute, et vous vous en doutez bien, que ma
position excluait toute activité dans l'édition.
Plus naïfs que diaboliques, des éditeurs m'ont
proposé de juteux contrats pour des directions
de collections, des participations à des comités
de lecture, des recueils de mes articles de *Lire* ou

de mes chroniques radiophoniques, des dossiers d'Apostrophes, etc. Je leur répondais chaque fois : « Apostrophes ne vous plaît donc pas ? Vous voulez faire mourir l'émission ? »

Du jour au lendemain, j'ai arrêté une chronique sur R.T.L. parce qu'un club de livres dépendant alors de la station avait, sans mon accord, utilisé mon nom et ma photo dans des placards de publicité. J'ai gagné un procès contre France-Loisirs qui avait fait de même dans le magazine servi à ses abonnés.

Je n'ai accepté de l'argent que des seules éditions du Chêne et Gamma-Hachette — droits d'auteur normaux — pour deux albums relevant de mon folklore personnel : l'un consacré au beaujolais (*Beaujolaises*, 1978), l'autre à l'Association sportive de Saint-Étienne (*Le Football en vert*, 1980).

Les préfaces étant des pièges à fric, les rares que j'ai accepté d'écrire ont été offertes gracieusement, y compris celles qui ouvraient les deux ouvrages rédigés par la rédaction de *Lire* sous la direction de Pierre Boncenne : *Écrire, lire et en parler* (Robert Laffont) et *La Bibliothèque idéale* (Albin Michel). Je vous raconte tout cela, avec peut-être des détails superflus — j'ai aussi refusé une ligne de bureau qui se serait appelée « Apostrophes » — pour bien vous montrer mon souci de ne jamais monnayer mon influence, de ne jamais être accusé de tirer des revenus annexes, avoués ou occultes, d'une émission du service public, de ne pas ruiner une réputation d'indépendance et d'honnêteté hors de laquelle j'aurais perdu l'estime et la confiance des professionnels du livre et du public. Mais, encore une fois, quand on est convenablement payé de ses efforts, il n'y a nul héroïsme à ne pas palper boni, bénefs et bakchichs.

Je pense avoir eu raison aussi de ne pas siéger dans des jurys littéraires. Ne m'aurait-on pas accusé, alors qu'avec Apostrophes et *Lire* mon pouvoir dans la république des lettres était jugé excessif, de vouloir tout régenter ? Le refus d'entrer au Renaudot m'a été pénible. Parce que Maurice Noël, dont je viens de faire l'éloge, et Pierre Mazars, journaliste au *Figaro littéraire*, dont j'étais l'ami, ont été des membres influents du jury. Mais comment rester libre dans mes invitations à Apostrophes avec des écrivains et journalistes qui m'auraient élu, à côté de qui je me serais assis trois ou quatre fois dans l'année et qui, faisant paraître des livres, en auraient tous espéré la promotion par mes soins ?

Quant à ce que vous appelez « la cour des éditeurs et des attachées de presse », elle s'est considérablement réduite au fil des années. Parce que je la décourageais en espaçant le plus possible déjeuners, petits déjeuners ou visites dans mon bureau. Parce que je n'en faisais qu'à ma tête, quitte parfois à me tromper. Parce que, confiné chez moi où je lisais, mon téléphone sur la liste rouge — on savait que si on m'appelait à mon domicile pour le cours ordinaire des choses, je serais tout juste poli —, mon assistante Anne-Marie Bourgnon (voir l'Abécédaire) s'était imposée comme le relais obligatoire entre les éditeurs et moi.

Au vrai, le mot « cour » est impropre quand il s'agissait tout simplement pour les éditeurs ou leurs attachées de presse de nous informer des publications à venir de leurs maisons, d'attirer notre attention sur des livres qu'ils jugeaient importants, de nous renseigner sur la personnalité d'un auteur nouveau ou étranger. Libre à moi ensuite de tirer profit de cette documentation, d'être ou non d'accord avec les appréciations flatteuses portées par les attachées de presse sur certains titres, de satisfaire ou non leurs espérances. Il n'y a là ni pression, ni bourrage de crâne, ni cour, mais jeu normal de l'information.

Comme vous commencez à me connaître, vous vous doutez bien que, pouvant user de notes de frais, je ne me laissais pas toujours inviter à déjeuner ou à petit déjeuner. Ce n'est pas avec un repas, si excellent soit-il, qu'on peut vous acheter, mais quand même. L'égalité autour d'une table permet à l'information de mieux circuler.

Deux anecdotes pour terminer là-dessus. Il y a quinze ans, l'une des premières fois où la petite équipe d'Apostrophes est allée souper chez Lipp après l'émission, nous avons été invités par un éditeur présent sur le plateau pour l'un de ses auteurs. Le vendredi suivant, deux éditeurs se proposaient de manger avec nous. J'ai mis aussitôt le holà à cette pratique dangereuse. Depuis, sauf rarissimes exceptions, nous soupions entre nous, sans auteur et sans éditeur, toujours aux mêmes tables de la célèbre brasserie de Saint-Germain-des-Prés.

Il y a longtemps, un éditeur m'a raconté que, devant justifier devant le fisc ses repas professionnels et décliner l'identité des personnes qu'il invitait, il avait quatre ou cinq fois dans l'année mis mon nom. Or, pas une fois nous n'avions déjeuné ensemble. Un agent des impôts est depuis convaincu que je me fais complaisamment nourrir aux frais de cette maison d'édition...

P. N. – Vous êtes-vous, dans le milieu des écrivains, fait de vraies amitiés?

B. P. – Au *Figaro littéraire*, je me suis lié d'amitié avec Robert Sabatier, romancier qui donnait des comptes rendus de livres, et avec Jean Chalon, journaliste débutant qui, par la suite, publia des romans et des biographies. De cette époque j'ai gardé de l'affection pour Geneviève Dormann, mais nous nous croisons plus que nous nous voyons. Le seul écrivain de mes intimes, sans que l'explication soit à chercher dans des relations professionnelles, est Jorge Semprun. Amitié tardive, sûre et très précieuse pour moi, fasciné que je suis par ses multiples talents et par son aventure, convulsive d'abord, apaisée ensuite, toujours brillante, dans l'Europe de la seconde moitié du siècle. À quoi s'ajoutent les petites choses de la vie qui font qu'on a du plaisir à se retrouver.

P. N. – Nous ne connaissions, nous autres, que la petite messe du vendredi soir. Pouvez-vous me préciser de quoi était faite la renommée internationale d'Apostrophes ?

B. P. – Question qui m'embarrasse parce qu'elle m'oblige à dire : « Voici mes médailles ! Lisez mes citations ! » Je ne vais donc pas vous énumérer les titres des journaux ou magazines américains, japonais, israéliens, soviétiques, anglais, allemands, italiens, latino-américains, espagnols, portugais, etc., qui ont consacré un ou plusieurs articles à une émission qu'en général ils considéraient comme un « phénomène de la télévision française ». D'abord parce qu'on n'y accueillait que des auteurs et qu'on n'y parlait que de livres — les émissions littéraires sont une spécificité française, même s'il en existe dans d'autres pays : la Suisse, la Hollande ; ensuite, en raison de l'audience et de la longévité de l'émission.

Ce sont les écrivains étrangers qui, rentrant dans leur pays après un passage à Apostrophes, y ont fait sa promotion. Surtout les écrivains américains : Mailer, Styron, Irving, Sontag, Bellow, Tom Wolfe, Arthur Miller, etc., impressionnés d'avoir été accueillis dans une émission en direct, qui passait sur un grand *network*, tôt dans la soirée ; étonnés d'avoir été lus par le journaliste-animateur ; sidérés de n'avoir pas été interrompus par une chanteuse, un jongleur, un pasteur pétitionnaire ou un *golden boy* ; stupéfaits par les effets de leur prestation sur la vente de leurs livres.

Le bouche à oreille à New York, dans l'édition comme chez les écrivains, ainsi que l'action des services culturels de l'ambassade de France, expliquent pourquoi le 13 septembre 1985 l'A.F.P. pouvait diffuser cette dépêche — que j'ai fait encadrer, c'est ma Légion d'honneur ! : « L'émission littéraire Apostrophes, de Bernard Pivot, sera diffusée à partir du 30 octobre pro-

108

chain, à New York, sur une chaîne universitaire par câble. La City University, qui compte 150 000 étudiants, a acheté en bloc 48 émissions de l'année 1984, a indiqué à l'A.F.P. Mme Sharen Brysac, directrice des programmes de cette chaîne éducative. Apostrophes sera programmée tous les jeudis, à quatre reprises, tout au long de la journée.

« Mme Brysac a refusé de divulguer combien l'université avait payé pour la série, se contentant de dire que "le coût était bas". Elle a précisé que l'audience potentielle était estimée à 30 000 téléspectateurs. "Cela prendra un ou deux ans avant de savoir qui regarde l'émission", a-t-elle dit. Apostrophes sera diffusée sans soustitres, mais sera précédée d'une introduction en anglais et sera suivie d'une leçon de vocabulaire. »

Eh bien, l'émission, autour de laquelle s'étaient rassemblées l'attention et la sympathie des Français de New York et des Américains francophones, et qui avait développé autour d'elle une sorte de snobisme, a remporté un succès d'audience inespéré. Dans le cas contraire, vous vous en doutez bien, elle eût été impitoyablement supprimée. Je regrette beaucoup de n'être pas allé à New York pendant ces cinq dernières années. Je m'y serais donné le plaisir puéril et folklorique de m'enfermer dans une chambre d'hôtel pour y regarder Apostrophes, tout en faisant l'effort, considérable pour moi, de boire un whisky (non, je n'aurais pas eu ce courage, je crois que j'aurais commandé une bouteille de vin blanc de Napa Valley, de chez Robert Mondavi). Bien des voyageurs m'ont raconté qu'un jour, à New York, se livrant à cet autre sport national des Américains qu'est le zapping, ils étaient tombés par hasard, interdits, sur Apostrophes. Après s'être assurés qu'ils ne rêvaient pas ou qu'ils n'étaient pas victimes d'une blague, ils se demandaient : « Seigneur, où peut-on échapper à ce type ? »

Nos services culturels à l'étranger ont beaucoup fait pour la réputation d'Apostrophes, organisant des projections régulières de l'émission. Il existait même des « clubs Apostrophes » dont j'ai pu, sur place, à Stockholm par exemple, apprécier l'impact sur les écrivains et les journalistes. En Pologne, dans les instituts français de Varsovie et de Cracovie, l'émission était régulièrement suivie par plusieurs centaines d'étudiants francophones qui venaient y respirer la liberté pour laquelle ils militaient à Solidarnosc.

Mais c'est en Italie qu'Apostrophes était très connue. D'une part, parce que Antenne 2 est reçue dans une grosse partie du pays, à Rome notamment ; d'autre part, parce que, beaucoup d'écrivains italiens parlant le français, ils ont été nombreux à être conviés à l'émission. J'ai été fier comme une pierre du Colisée de recevoir, à Capri, un prix attribué par un jury d'écrivains et de journalistes italiens, en même temps que John Le Carré (cf. plus loin l'Abécédaire) recevait le prix Malaparte. De même ai-je été heureux, comme la corne d'un taureau ayant déchiré l'habit de lumière du *torero*, de me voir attribuer le prix Atlantida par les éditeurs de Catalogne.

Partout revenait la question qui me faisait plaisir et qui me gênait : «Pourquoi n'avons-nous pas chez nous une émission comme Apostrophes?» Je répondais : «Parce que vous ne le voulez pas! Parce que les dirigeants de votre télévision ne jugent pas utile d'avoir une émission sur les livres. S'ils le voulaient vraiment, ils dénicheraient à coup sûr quelqu'un capable de faire une émission, un peu semblable à la mienne ou très différente, en tout cas conforme à votre sensibilité, à la tradition du livre et de la télévision de votre pays.» J'ai reçu des professionnels de Channel Four, des télévisions suédoise, allemande et italienne venus me demander des conseils pour créer dans leur pays quelque chose de semblable à Apostrophes et qui sont repartis déçus de n'emporter que des encouragements, alors qu'ils espéraient je ne sais quel secret professionnel.

La conversation dans un salon donne de meilleurs résultats avec les Latins qu'avec les Anglo-Saxons, plus réservés, moins démonstratifs, moins diserts avec leurs mains. J'ai toujours pensé que, s'il y avait un pays où Apostrophes pouvait être proposée presque telle quelle, c'était l'Italie. Les écrivains italiens ont été presque tous d'excellents « clients » de mon émission. Leur sens inné de la *commedia dell'arte*, leur pétulance ensoleillée, leur goût des mots, des répliques, des attitudes — et tout cela dans la belle langue chantante italienne — devraient faire chez eux, pensais-je, d'un débat littéraire ou d'idées un rendez-vous apprécié des téléspectateurs. Leurs deux ou trois tentatives ont pourtant échoué, la dernière, m'a-t-on dit, par excès de cris et d'irascibilité. Trop méditerranéens, les Italiens ? Les Français représenteraient-ils, pour ce genre d'exercice, le bon mélange de chaleur latine et de réserve celtique ?

« Je vais vous expliquer pourquoi Apostrophes ne peut pas marcher, chez nous, à la télévision, m'a confié un éditeur italien. On le trouvera, c'est sûr, si on le cherche bien, le journaliste capable d'animer un débat entre écrivains et intellectuels. Mais, moins de six mois après, surtout si l'émission a du succès, l'animateur aura été acheté par un groupe d'édition... *Allora ?...* »

Au début de cette année, j'ai reçu un coup de téléphone de Carlo Freccero, directeur des programmes de la Cinq, m'avisant que cette fois, c'était décidé, Silvio Berlusconi allait lancer une version italienne d'Apostrophes sur l'une de ses chaînes, et me demandant de bien vouloir faire le voyage de Milan pour en parler avec lui. J'ai répondu par l'affirmative, à la condition de faire coïncider mon déplacement avec un match de coupe d'Europe du Milan A.C., club deux fois de suite champion d'Europe depuis que le richissime, séduisant et rusé Silvio en est devenu le patron. Rendez-vous a été pris au stade San Siro. Mais, deux jours avant, j'ai été décommandé. Depuis, plus de nouvelles. Vite retombée, la fièvre culturelle de Berlusconi...

Pour être complet, j'ajoute, à propos de l'audience d'Apostrophes en dehors de l'Hexagone, de la Belgique et de la Suisse, qu'elle était diffusée dans les D.O.M.-T.O.M. et dans tous les pays francophones, à l'instar de toutes les émissions importantes de la télévision française. Mais, pour les raisons que vous imaginez, c'est au Liban qu'elle était reçue avec le plus de ferveur, et c'est au Québec qu'elle recueillait le plus d'audience et qu'elle était commentée avec le plus de passion, favorable ou non.

P. N. – Venons-en au cœur du problème : comment choisissiez-vous les livres ? Si gourmand que vous soyez, vous ne pouviez pas tout lire vous-même. À défaut d'un comité de lecture officiel, aviez-vous un réseau d'informateurs ? Bref, comment travailliez-vous ? La question, vous le sentez, est capitale.

B. P. – Pendant plus de quinze ans, des millions de Français ont cru que les noms, classés par ordre alphabétique, qui défilaient dans le générique de fin, étaient ceux de mon comité de lecture, des collaborateurs qui lisaient pour moi, alors que la plupart étaient les noms des techniciens et administratifs d'Antenne 2 qui avaient travaillé à l'émission qu'on venait de voir. Combien de lettres ai-je reçues de femmes qui me proposaient de mettre leurs yeux à mon service et qui ne doutaient pas d'être engagées, « un nom de plus ou de moins dans votre comité de lecture, cela ne se verra pas » ?

C'est le fâcheux exemple d'« Italiques » — émission littéraire de Marc Gilbert qui avait ses charmes et ses mérites — qui m'avait dissuadé de réunir autour de moi un aréopage de liseurs : on s'y engueulait à chaque réunion hebdomadaire. Chacun voulait qu'on retînt pour l'émission les livres qu'il venait de lire et qui lui paraissaient beaucoup plus intéressants que ceux défendus par les autres membres du comité. Qu'il fût rationnel ou diplomatique, le choix final était cruel, soulevait des polémiques et ne garantissait pas la qualité de l'émission. Mon choix personnel n'était pas une meilleure promesse que l'émission serait réussie, mais il me faisait faire l'économie d'heures précieuses gaspillées au téléphone ou dans d'interminables réunions et me prémunissait contre les manœuvres du copinage ou, sait-on jamais, contre les stratégies souterraines des intérêts particuliers.

Décider tout seul du choix des livres m'obligeait à lire davantage, parfois plus que de raison, mais si je me trompais, je n'avais pas à chercher d'autre bouc émissaire que moi-même, et si j'avais eu la main heureuse — ou plutôt l'œil gagnant —, les congratulations étaient privées et brèves. Une bonne hygiène de travail s'est installée au fil des années entre Apostrophes, émission individualiste, artisanale, conçue et préparée le plus souvent dans le silence de mon appartement, et *Lire*, magazine des livres, œuvre collective d'une rédaction qui se réunit une fois par semaine dans mon bureau, et dont j'apprécie les idées et encourage les initiatives.

Au vrai, dans mes choix pour l'émission, il m'arrivait de tenir compte des avis d'un comité occulte, non rétribué par la télévision, et qui ne se réunissait jamais : les critiques littéraires. Je les lisais avec assiduité, savais, à l'occasion, décoder leurs enthousiasmes ou leurs éreintements, et puisais dans leurs articles, sinon des idées de thème, du moins des idées de lecture. Avais-je lu hâtivement un bouquin sans y voir ce que Poirot-Delpech, Nourissier, Rinaldi, Amette, Garcin, Roy, Josselin, Démeron, etc., y avaient décelé, que je reprenais le volume pour une opinion ultime. Mon comité de critiques fonctionnait comme jury de rattrapage.

Mais je vous entends : et avant ? Eh bien, avant, mon choix se faisait selon mes goûts, et ce que je crois être l'intérêt du téléspectateur-lecteur. Mais comme l'intérêt du public est une notion très subjective — il est évident que Pierre Dumayet, Michel Polac, Patrick Poivre d'Arvor, Bernard Rapp et moi avons des conceptions différentes de ce que nous supposons être la curiosité du public et des avis divergents sur les nourritures que nous proposons à son appétit —, cela revient à dire que, tout compte fait, nos choix sont la résultante de nos envies, nos répulsions, nos lacunes, nos passions, nos indifférences et nos humeurs.

À partir de là, un certain nombre de critères orientait ma sélection. Varier les thèmes et la nature des livres retenus, de sorte qu'il n'y ait pas dans le mois deux émissions qui se ressemblent (critère de spectacle).

Proposer soit dans la même Apostrophes, soit dans deux Apostrophes qui se suivent, des livres populaires, faciles à lire, ou ardus, plus élitistes, qui rencontreront des publics différents (critère de lecture).

Équilibrer sur une longue période : les débutants et les auteurs célèbres — ceux-ci faisant profiter de leur notoriété, et de l'audience qui en découle, les jeunes gens assis à côté d'eux ; les hommes et les femmes — celles-ci étant forcément moins nombreuses puisqu'elles sont minoritaires dans la production des éditeurs ; la gauche et la droite — est-ce un hasard si Max Gallo et Jean d'Ormesson ont été le plus souvent invités (critères de spectacle, de lecture et d'image) ?

Ne déduisez cependant pas de ce qui précède que j'appliquais avec rigueur, à Apostrophes, une sorte de grille de critères. Ceux-ci sont apparus chemin faisant. Ils étaient plus le résultat d'une construction instinctive de l'émission et de l'expérience que d'une réflexion préalable.

Pour ce qui était de la méthode, je procédais, je suppose, comme mes confrères de la presse écrite. Dans l'ordre :

1) Informations sur les publications à venir par la lecture des programmes des éditeurs et

par le contact, soit personnel, soit par l'intermédiaire de mon assistante Anne-Marie Bourgnon, avec les attachées de presse. Pierre Boncenne, alors rédacteur en chef de *Lire*, très au courant de tout ce qui se passait dans les maisons d'édition, était un informateur précieux auquel j'avais recours pour compléter un plateau ou pour recueillir rapidement un avis sur un livre qu'il avait déjà lu. En prenant connaissance des extraits de livres et des notes, à paraître dans *Lire*, j'obtenais aussi des renseignements qui pouvaient m'être utiles.

2) Lecture sous forme de sondages rapides (parfois longue et attentive dans le cas d'ouvrages de polémique) des épreuves des livres à paraître. C'est à ce stade que je faisais le premier choix, refusant d'inviter un auteur sans avoir mis le nez dans son bouquin. Si un éditeur exigeait une réponse dans la semaine, et que j'étais débordé par mes lectures du vendredi suivant, je confiais les épreuves à une pigiste de *Lire*, Marianne Payot, qui a un œil sûr.

3) Enfin, à réception des livres chez moi, ouvrant moi-même les paquets, lecture impromptue, furtive, échantillonnée, au hasard, des volumes qui passaient entre mes mains et que je classais selon leur genre. J'en élisais d'autres à ce moment-là, moins nombreux toutefois que ceux qui seraient choisis plus tard, puisant dans

ces alignements, ces piles, ces tas, ces colonies, ces marées, ces big-bang...

P. N. – Au fond, vous aurez eu pendant quinze ans un métier : lecteur public, comme il y a des écrivains publics... Alors, une question très technique : comment lisez-vous ? Différemment, bien sûr, selon les genres de livres, mais encore ?

B. P. – Dans une semaine ordinaire, ma ration de lecture se décomposait ainsi :
 lundi : de cinq à huit heures ;
 mardi : de huit à dix heures ;
 mercredi : de douze à quinze heures ;
 jeudi : de douze à quinze heures ;
 vendredi : de cinq à sept heures ;
 samedi : de quatre à dix heures ;
 dimanche : de huit à dix heures.
Une journée de douze à quinze heures de lecture à domicile — une brève sortie pour acheter *Le Monde* au kiosque, à trente mètres, les journaux du matin m'étant portés — est coupée de multiples haltes : repas sommaires vite expédiés, journaux télévisés de midi et de 20 heures, coups de téléphone (j'y reviendrai), coups de sonnette — le coursier des éditeurs et la gardienne apportent des livres —, lecture des journaux, déplacements à la cuisine pour y prendre

un litre d'eau, un fruit ou une barre de chocolat — hypocrite, la tablette ! —, repas des chats, déplacement sur un balcon pour un incident dans la rue, allumage d'un cigare, déplacements à la salle de bains ou aux toilettes, où je ne lis rien d'autre que la Déclaration des droits de l'homme affichée, écoute d'un bulletin d'information sur une radio, rêveries, caresses à Rominet (voir ce nom dans « Souvenirs en toutes lettres », p. 248), changement de lieu (je lis dans trois pièces : bureau, salon, salle à manger), ouverture du courrier ou d'un paquet de livres, conversation avec un membre de ma famille, etc. Une heure et demie de lecture vraiment ininterrompue — au cœur de l'après-midi ou le soir, très tard —, c'est un maximum.

Si j'ai énuméré toutes les occasions de rupture de la lecture, c'est parce qu'elles sont inévitables, innombrables. Et souhaitables. Ce va-et-vient entre le livre et la vie ordinaire, ces multiples passages du monde des signes au monde des objets, et *vice versa*, ces interférences fréquentes entre l'imaginaire et l'environnement sont un des charmes de la lecture. À deux conditions : 1) que le lecteur garde l'initiative de ces ruptures (coups de fil ou coups de sonnette l'agacent, le dérangent fatalement au milieu d'une page, tandis que s'il décide de téléphoner entre deux chapitres, c'est au moment où sa lecture n'en souffrira pas) ; 2) que les sollicitations extérieures au livre relèvent de la banalité et ne produisent pas des effets trop perturbateurs, qui entameraient pendant longtemps l'attention au livre. Une altercation sous les fenêtres de deux automobilistes est un divertissement sans conséquence ; il n'en serait pas de même avec un grave accident sur le passage des piétons, avec arrivée prochaine du Samu, des pompiers, de la police. Un appel téléphonique du bureau ou d'un ami n'est qu'un trouble passager ; mais s'il s'en succède une demi-douzaine dans l'heure ou si, tout à trac, un journaliste appelle pour vous demander une réponse immédiate et originale sur la mode des corsages transparents ou sur l'éventuelle suppression de la publicité à la télévision d'État, alors que vous êtes plongé dans une biographie de Jean Giono ou dans un essai sur la politique culturelle de la IIIe République, il est évident que le dommage sera plus important parce que l'irruption du monde extérieur dans la lecture devient alors ou trop fréquente, ou trop vigoureuse, ou trop anachronique.

Quand c'est un métier, lire exige des yeux et de l'esprit une grande disponibilité. Avoir tout son temps pour ne pas précipiter ou bâcler la lecture. Avoir toute sa tête pour se concentrer sur le livre. La politesse due à un auteur, qu'il soit célèbre ou pas, admiré ou pas, requiert qu'on se consacre à lui comme à un visiteur qu'on a sollicité. Recevoir celui-ci entre deux portes et penser à autre chose pendant qu'il parle, c'est l'attitude équivalente à celle du lecteur qui ouvre et feuillette un bouquin entre deux activités sans rapport avec la lecture et qui, les yeux dans les pages, pense à ce qu'il vient de faire, à ce qu'il va faire ou à ce qu'il aurait aimé faire. Le lecteur professionnel prend le temps de lire et les dispositions pour bien lire, quel que soit le sentiment que lui procure sa lecture : plaisir, irritation, enthousiasme, colère, indifférence... Il lit, vraiment, et quand il lit il est seul, et il est pleinement, sereinement lui-même avec le livre.

C'est pour être dans ces dispositions que j'avais éliminé de ma vie bien des mondanités, des plaisirs (cinéma), des occupations et des travaux annexes qui auraient pu me procurer de l'agrément ou de l'argent. Mais on ne peut pas écarter de son chemin de grandes émotions, de bonheur ou de détresse, et la vérité oblige à dire que ces semaines-là les livres deviennent encombrants, insupportables, et qu'on les lit avec un peu d'animosité, l'attention relâchée.

C'est toujours pour être dans les meilleures dispositions, de corps et d'esprit, que, ayant la chance de disposer d'un vaste appartement, j'en occupe pour lire (et écrire), selon l'humeur, le bureau — fauteuil moderne pivotant encastré dans un bureau-meuble en forme de fer à cheval —, le salon — chaise, fauteuils en plexiglas ou canapé en cuir —, ou la salle à manger — chaises cannées en acier placées devant une table en travertin. On aura compris que je ne lis pas enfoncé dans du moelleux... Le lit ne me paraît pas approprié à une lecture sérieuse. Encore moins la baignoire. Les fesses sur le dur, le dos tenu, les mains libres pour tourner les pages, souligner et annoter, mes rapports intimes avec les livres sont plus drastiques que lascifs.

Quelques règles que j'avais adoptées pour mon confort de lecture pendant le marathon hebdomadaire d'Apostrophes.

— Les grosses journées, ne pas boire d'alcool et manger légèrement.

— Dormir le plus et le mieux possible, le manque de sommeil étant préjudiciable à une lecture efficace.

— En cas de somnolence, après le déjeuner ou parce que la nuit précédente a été courte, arrêter de lire comme on arrête, par prudence, de conduire, stopper le livre ou la voiture, et dormir pendant dix minutes sur son siège.

— Se dégourdir les jambes dans un sport, au moins une fois par semaine.

— Après lecture d'un chapitre long et difficile, ayant réclamé des efforts de compréhension ou de mémorisation, se lever et se livrer à une brève activité de diversion : coup de fil, cinq minutes de musique, de radio ou de télévision, croquer une pomme, etc. (j'aurais aimé avoir la possibilité, dans ces moments-là, de faire une partie de flipper).

— Lire ou écouter un disque, la radio ou la télévision, il faut choisir.

— Ne pas lire avec ses pieds, et pourtant de vieilles savates, des pantoufles éculées et chéries facilitent la lecture. Un pantalon large et usé et un pull dégingandé, troué aux coudes, donnent des aises dans les tête-à-tête avec Michel Tournier, Edmonde Charles-Roux, Claude Lévi-Strauss, et même avec Pascal ou Beaumarchais.

— Lire un livre d'un trait. Mais, chemin faisant, en cas d'ennui grave ou de déception prolongée, l'abandonner pour en commencer un autre qu'on mènera à son terme avant de reprendre le précédent pour une seconde chance.

— Veiller qu'aucun auteur ne soit l'injuste victime d'une méchante humeur, d'une indisposition, d'un manque de sommeil. Tant mieux pour lui si un auteur profite d'un état euphorique du lecteur professionnel. Il ne faudrait cependant pas que les lecteurs devinssent les victimes de l'un et de l'autre.

— Avoir toujours sur soi, ou à portée de la

main, un stylo, afin de pouvoir à tout moment souligner et prendre des notes, ne serait-ce qu'écrire « oh ! » en face d'une faute grossière.

— Faire l'effort de consulter un dictionnaire quand il y a doute ou ignorance.

— Seul, en voiture, avoir toujours un livre à côté de soi. Ainsi ne perd-on pas son temps et son sang-froid dans les gros embouteillages. Il n'est pas impossible que la prolifération démente des automobiles entraîne un accroissement de la lecture. Le T.G.V., trop rapide, est en revanche un mauvais coup porté au livre.

La question rengaine : « Combien de livres lisez-vous par jour ? » n'a pas de sens. Car je pouvais aussi bien lire trois petits romans dans une journée que m'enfoncer pendant trois jours dans un gros ouvrage de sciences humaines. Les cadences de lecture sont différentes selon la nature des livres. On n'avance pas au même rythme, c'est l'évidence, dans un Dumézil que dans un Chandler, dans un Bourdieu que dans un Simenon, dans un Le Goff que dans un Castelot, dans un Claude Simon que dans un Denuzière, sur un Char que sur *La Bicyclette bleue*. Certains auteurs qu'on connaît bien et qu'on apprécie se lisent plus aisément que d'autres, pourtant pas plus compliqués, mais avec lesquels « on accroche moins ». Tels écrivains d'une grande clarté sont illisibles. Entre auteurs et lecteurs il y a souvent plus que des affinités : des complicités, des fringales. D'où l'expression populaire : « Ce bouquin, je l'ai dévoré ! » Ce qui signifie qu'au festin de la lecture on ne mange pas tous les livres avec le même appétit, au même rythme, qu'avec celui-ci on pignoche et que celui-là on l'engloutit. Le lecteur professionnel est plus encore que d'autres sujet à ces variations de polyphagie.

L'autre question rengaine : « Avez-vous une méthode de lecture rapide ? » était choquante. Si j'en avais adopté et appliqué une, c'eût été la preuve que je me fichais du style, que la musique de la phrase ne m'intéressait pas, qu'à mes yeux la manière d'écrire était sans importance, et qu'en vérité je n'aimais pas lire. Les meilleures questions aux auteurs provenaient souvent d'un paragraphe ambigu ou d'un mot détonnant — qu'on n'a aucune chance de repérer si on confond lecture et course à pied.

Mais il va de soi qu'on ne lit pas tous les jours pendant quinze ans sans développer une capacité de lecture supérieure à la normale et sans accroître une vitesse de lecture et un potentiel d'attention qui ne sont pas ceux d'un lecteur ordinaire.

P. N. – Vous êtes, au fond, l'héritier d'une grande tradition qui commence avec Jules

Huret, dont on a récemment réédité les enquêtes sur la vie littéraire en 1891. Puis il y a eu « Une heure avec... » de Frédéric Lefevre, pour les débuts des *Nouvelles littéraires* de Maurice Martin du Gard, après la Première Guerre. Puis les entretiens de Léautaud avec Robert Mallet, etc. Cette tradition, vous l'avez portée à son maximum d'éclat grâce au petit écran. Avant vous, il y avait aussi « Lectures pour tous » de Desgraupes et Dumayet. Êtes-vous conscient de cette tradition ? Comment la voyez-vous ?

B. P. – Votre question est complète, et je ne vois guère ce que je peux y ajouter, sinon que Jules Huret était un journaliste de premier ordre qui a inventé l'interview des écrivains et l'enquête littéraire. Avant lui, le courriériste des lettres se contentait de rapporter des informations, des échos, des potins, d'ailleurs plus mondains que littéraires. Jules, le grand Jules de l'*Enquête sur l'évolution littéraire* (parue dans *L'Écho de Paris* et reprise récemment par les éditions Thot), a adapté aux écrivains le système de l'interview, que ses confrères de la fin du siècle lancent probablement sous l'emprise de la nécessité : « Expliquez-vous, monsieur ! »

« Plus reporter que critique, plus témoin qu'analyste », tel était Huret et tel je me définis. Je suis donc, vous avez raison, l'un des héritiers de cette tradition qui débute sans créer de problèmes existentiels chez les premiers écrivains interviewés. Zola, Barrès, Kipling, Rostand, Daudet, Mark Twain, D'Annunzio, Edmond de Goncourt, Huysmans et cinquante autres auteurs, aujourd'hui oubliés, acceptent sans barguigner de recevoir le journaliste indiscret passé entre-temps au *Figaro*. Même Tolstoï l'accueille avec plaisir. Ils sont probablement amusés par cette forme d'expression inusitée, dérangeante, dangereuse puisque c'est un autre qui en a la maîtrise. Préfacier de l'*Enquête sur l'évolution littéraire*, Daniel Grojnowski a raison d'écrire : « L'interviewer prend le pas sur l'écrivain qui tombe sous sa dépendance, condamné à la solitude et au silence s'il n'a pas l'aubaine d'être "mis en médias". J. Huret inaugure une procédure qui depuis lors a fait florès : avec lui commence le temps des médiateurs. »

Les écrivains importants sont partagés entre deux attitudes : soit garder le silence, laisser leurs œuvres parler d'elles-mêmes, laisser les livres se débrouiller tout seuls. Roland Barthes : « Je suis toujours gêné quand la parole vient en quelque sorte doubler l'écriture parce que j'ai alors une impression d'inutilité : ce que je voulais dire je ne pouvais pas le dire mieux qu'en écrivant et le redire en parlant tend à le diminuer. » (Entretien avec Pierre Boncenne, dans *Lire*, avril 1979.)

Soit, au contraire, étaler le pourquoi, le comment, révéler des clés, indiquer des passerelles, précéder ou prolonger le livre d'une explication de texte. C'est ce que faisaient nos bons auteurs classiques par des préfaces qu'ils intitulaient tout simplement « Au lecteur » et dans lesquelles, éprouvant la nécessité de s'adresser directement à ceux qui s'apprêtaient à les lire, ils leur confiaient une sorte de mode d'emploi de la pièce, de l'essai ou du roman. Toutes les préfaces de Racine sont des justifications et des éclaircissements. C'est bien la preuve qu'il ne considérait pas que chacune de ses pièces se suffisait à elle-même et qu'il n'avait rien à lui ajouter.

Si, au XVIIe siècle, avaient existé des Jules Huret, il est probable que Racine, Corneille, Boileau, etc., se seraient expliqués sous forme d'interviews. Stimulés par les questions des journalistes, ils se seraient confessés un peu plus que dans leurs préfaces et nous en saurions davantage sur la manière dont ils exerçaient leur métier d'écrivain, ce qui n'eût pas été capital, mais diablement intéressant. Suggestion pour un travail d'élèves-journalistes : « Relisez la préface de *Britannicus* et, tout en en restituant l'essentiel par des citations scrupuleuses, transformez-la en interview de Racine. » J'ai essayé, ça fonctionne.

Pour en terminer avec le cher Jules Huret et justifier son innovation à succès, même si quelques bons écrivains ont toujours préféré le silence aux entretiens, revenons-en à Roland Barthes. Dans celui que je citais plus haut, où il s'interrogeait précisément sur l'utilité de l'interview, il dira plus loin : « L'interview fait partie, pour le dire de façon désinvolte, d'un jeu social auquel on ne peut se dérober ou, pour le dire de façon plus sérieuse, d'une solidarité de travail intellectuel entre les écrivains, d'une part, et les médias, d'autre part. Il y a des engrenages qu'il faut accepter : à partir du moment où l'on écrit c'est finalement pour être publié et à partir du moment où l'on publie il faut accepter ce que la société demande aux livres et ce qu'elle en fait. »

Par mon intermédiaire, la « société » avait demandé à Roland Barthes de venir s'expliquer sur son livre *Fragments d'un discours amoureux* et de parler de l'amour avec deux autres spécialistes, mais dans des registres ô combien différents : Françoise Sagan et Anne Golon.

P. N. – Il y avait quand même dans votre affaire une drôle de contradiction : en êtes-vous conscient ? Faire venir des auteurs pour leur demander de « présenter » eux-mêmes leur livre et en parler... mais est-ce qu'un écrivain, et surtout un romancier, n'est pas le plus mal placé pour le faire ? Résultat paradoxal, de ces émissions littéraires les meilleures n'étaient pas les littéraires. Alors ?

B. P. – Désolé, mais je ne vois pas, mais pas du tout, en quoi un créateur serait le plus mal placé pour parler de sa création. À condition, bien sûr, qu'on ne lui demande pas de la juger, mais d'en fournir les clés, d'en expliquer la genèse, d'en proposer une « lecture ». Éclairer une œuvre de l'intérieur n'implique pas que la parole soit retirée aux critiques et au public qui la commentent de l'extérieur. J'ai déjà fait l'éloge de l'interview, moyen habile d'obtenir informations et confidences sur l'œuvre, sur le créateur et sur son travail.

Pourquoi, de fait, les émissions avec romanciers sont pour l'animateur les plus difficiles à diriger et pour les téléspectateurs les plus ingrates à suivre ? Parce que si, pour un historien, un mémorialiste, un philosophe, un essayiste, il est aisé d'évoquer d'authentiques personnages, des événements situés et datés, des souvenirs, de défendre et d'illustrer des idées, il est impossible pour un romancier de faire preuve de la même clarté et de la même pugnacité avec des personnages inconnus du public, dont les « aventures » n'ont d'intérêt que par la manière dont elles sont racontées. Le romancier est obligé de dire : « mes personnages... mon héros... le père... l'amant... les enfants de l'architecte... le narrateur... le je... le il... », alors que l'historien dit : « donc, Napoléon... », le mémorialiste : « je... j'ai... je suis... », le philosophe : « je pense que... », l'essayiste : « j'ai observé... ». Ceux-ci s'impliquent totalement dans leur discours — ou impliquent un personnage historique —, alors que le romancier introduit une distanciation entre le contenu de son roman et lui-même qui nuit à la force de ses propos. Ici, nous sommes dans l'ambiguïté, l'imaginaire, la suggestivité ; là, dans le concret, le vécu, l'idéologie, la foi.

Ce qui importe dans le roman, c'est le style, le ton, la musique, l'invention, et ces choses-là, si subtiles, si subjectives, ne se laissent guère appréhender par les grosses pattes de la télévision.

Mais ce n'est pas parce que les émissions sur le roman sont des émissions handicapées qu'il faut les supprimer. Dans une de ses chroniques du *Nouvel Observateur*, Bernard Frank m'a malicieusement reproché d'avoir abusé du roman, trop souvent de mauvaise qualité. « À force d'inviter de médiocres romanciers, il a attrapé une banale indigestion. » Plus loin : « Comme c'est drôle qu'il ne se soit pas aperçu, en quinze ans de métier, que rien n'avait plus de mal à passer le petit écran qu'un roman raconté par son auteur ! »

Dès «Ouvrez les guillemets», j'avais mesuré les difficultés à faire parler du roman par le romancier. Mais ce n'est pas pour autant que j'allais renoncer à ma formule du contact direct du téléspectateur avec l'écrivain. Quant à supprimer le roman d'Apostrophes, impossible. Encore une fois, je n'étais pas un critique, mais un journaliste d'information qui ne pouvait pas, sous prétexte que le roman a connu des époques plus brillantes et qu'il se prête moins bien que d'autres livres au spectacle de la télévision, faire l'impasse sur un secteur essentiel de la librairie et sur l'une des gourmandises préférées des lecteurs.

P. N. – Michel Polac, dans une des émissions qui a suivi la fin d'Apostrophes, sur France-Inter, a reproché à Apostrophes son caractère très français. Vous avez fait venir pas mal d'étrangers mais, sauf de rares exceptions, des valeurs consacrées. Êtes-vous sensible à cet «hexagonalisme» ?

B. P. – À «Objections», Michel Polac a dit à peu près ceci : «Comme beaucoup d'écrivains étrangers ne parlent pas français, Pivot ne les invitait pas. C'est le principe même de son émission qui l'empêchait de s'intéresser à la littérature étrangère, et c'était là une grosse lacune. » Le reproche est fondé : je n'acceptais la traduction simultanée — barbante pour une grande partie du public — qu'exceptionnellement, avec des écrivains de grand renom : Soljenitsyne, Mailer, Günter Grass, Styron, Zinoviev, etc. La formule d'Apostrophes ne me portait donc pas à m'intéresser à de jeunes auteurs allemands, anglais, brésiliens, soviétiques, etc., s'ils ne pouvaient s'exprimer dans notre langue. Si, en revanche, ils parlaient français et que j'aimais leurs livres, l'invitation ne tardait pas. C'est ainsi que j'ai pu faire découvrir des auteurs inconnus comme William Boyd, Paul Auster ou Julian Barnes. Mais ce sont des exceptions, j'en conviens, et Apostrophes aura toujours été une émission très hexagonale — promotion du livre français — et très francophone — prime aux auteurs étrangers, de pays de langue française ou non, qui pouvaient sans truchement se faire entendre des abonnés du vendredi soir.

Mais Michel Polac a eu tort d'ajouter qu'en quinze ans et demi je n'avais invité qu'une « dizaine » d'écrivains étrangers. Déjà, les auteurs en traduction simultanée ont été deux à trois dizaines. Et c'était oublier que beaucoup

d'écrivains, italiens et latino-américains princi-
palement, parlant le français, ils ont été nom-
breux à être mêlés à des auteurs hexagonaux.
De mémoire, je cite Mario Vargas Llosa, Mary
MacCarthy, Alejo Carpentier, Italo Calvino,
Robert Darnton, Paul Bowles, Alberto Moravia,
Milorad Pavic, Breyten Breytenbach, Vladimir
Nabokov, Ernesto Sabato, Theodore Zeldin,
Susan Sontag, John Le Carré, Lawrence Durrell,
Jorge Amado, Angus Wilson, Wole Soyinka,
Frederick Prokosh, Nina Berberova, Umberto
Eco, etc.

D'ailleurs, si les écrivains étrangers avaient été
aussi rares que Michel Polac le dit, la réputation
d'Apostrophes n'aurait pas dépassé nos fron-
tières.

Mais il est très vrai que ce sont plus des étrangers consacrés que débutants qui ont été conviés
à l'émission, et que celle-ci a surreprésenté,
surévalué la littérature française par rapport aux
autres littératures.

Avais-je l'intention, au départ, de respecter ou
plutôt d'imposer, d'inventer un équilibre entre
la littérature française, d'une part, et les littératures étrangères d'autre part, cet équilibre étant
la résultante, à mes yeux, des qualités de l'une
et des autres? Évidemment non. C'est là un projet ambitieux, presque utopique, de critique.
Michel Polac se veut tel, pas moi. Le courriériste

que je suis ne pouvait que puiser à foison dans ce qui lui est le plus proche : le livre français, et inviter ceux qui lui sont le plus accessibles : les auteurs qui parlent français.

À quelques semaines de la fin d'Apostrophes, j'ai reçu une journaliste portugaise qui m'a courtoisement et fort justement reproché de ne pas avoir fait venir d'écrivains de son pays, certains maniant notre langue avec habileté. Pourquoi cet oubli qui pouvait passer pour un ostracisme ? me suis-je demandé. La réponse est toute bête : parce que je n'ai jamais mis les pieds au Portugal et que, ne connaissant pas le pays, n'ayant pas avec lui ne serait-ce que des liens touristiques, j'ai négligé ses auteurs, alors que les écrivains espagnols, italiens, anglais, américains, argentins, etc., m'évoquaient des villes, des campagnes, des bords de mer, des églises, des musées, des restaurants, des aéroports, des foules, des visages qui ne m'étaient pas indifférents.

P. N. – On a eu plusieurs fois l'impression que vous vous demandiez comment sortir un peu du carcan de votre formule. Il y a eu « Les lectures de… », que l'on avait vu apparaître au début avec les lectures de François Mitterrand, mais que vous avez reprises en chaîne avec Raymond Barre, Jeanne Moreau, Rocard, etc. Il y a eu de bizarres séances au musée Grévin, une étrange parodie de la télévision privée ; il y a eu « Les livres du mois ». Simple envie de varier ? Crainte de la concurrence et volonté de ratisser plus large ? Pour être franc, j'ai toujours trouvé que, sauf exception, vous aviez intérêt à rester fidèle à l'orthodoxie d'Apostrophes et à ne pas baisser la garde...

B. P. – Oui, c'est vrai, je ressentais parfois la formule thématique comme un carcan et, les centaines d'émissions s'ajoutant aux centaines, à la longue j'ai éprouvé des envies de m'en libérer en innovant, en adoptant de temps en temps des formules plus souples. Si « Les lectures de... » ont connu de jolies réussites avec, entre autres, François Mitterrand, Felipe Gonzalez et sa femme Carmen Romero, Gilbert Trigano, Jeanne Moreau, une partie du public était déçue parce que la personnalité invitée n'évoquait guère la spécialité qui l'avait rendue célèbre. Je n'ai découvert ce malentendu qu'après, dans le courrier. On aurait aimé, par exemple, que Hubert Reeves parle des étoiles, qu'il ne parle même que du ciel, alors que le jeu était précisément qu'à travers les livres qu'il aime, il nous montre d'autres facettes de sa curiosité et de son intelligence. Même frustration avec Jeanne Moreau, loin du cinéma et du théâtre, mais si présente dans la littérature. La logique des Français est implacable. Ils fréquentent de plus en plus les autoroutes et de moins en moins les petites routes communales. «Les lectures de... », c'était l'occasion d'emprunter les chemins de traverse et les sentiers secrets d'un homme ou d'une femme qui avait réussi dans un autre domaine que le livre, qui cependant associait intimement à sa vie le livre et le plaisir de lire et qui déclarait même que, sans la lecture, il (ou elle) ne serait pas devenu(e) ce qu'il (ou elle) est. Promotion du livre par le vécu.

L'option «Les livres du mois» correspondait à une autre stratégie : jouer de temps en temps la diversité plutôt que la cohérence et, de cette manière, rassembler des livres importants ou singuliers qui ne pouvaient entrer dans un thème. Car je souffrais parfois de délaisser un auteur parce que son unique défaut était d'être seul de son espèce. Je souffrais plus encore, vous l'avez deviné, de l'abandonner à la concurrence. Ou au silence. Dans l'ensemble, même s'il y eut d'heureuses exceptions, «Les livres du mois» procuraient des spectacles moins réussis que les émissions «orthodoxes». Elles étaient un peu moins regardées. Mais ce sont les émissions qui donnaient le plus de titres aux listes de best-sellers. Il n'était pas rare que quatre des cinq auteurs invités — et même les cinq, c'est arrivé — connaissent le succès.

Il y eut aussi des émissions extravagantes, qui correspondaient à des anniversaires et donc à des occasions de « s'éclater ». La sept centième avait réuni, au musée Grévin, les écrivains de cire : La Fontaine, Corneille, Racine, Descartes, Zola, Hugo, etc., et des écrivains en chair et en os. À la fin de la six centième, j'avais fait non pas une étrange, mais une bouffonne parodie de la télévision commerciale dont c'étaient les débuts. Animateur en paillettes, sous les bravos d'un bataillon de coco-girls, je récompensais Lucien Bodard d'un four à micro-ondes pour avoir mieux répondu que mes deux autres complices : Jeanne Champion et Philippe Sollers, à des questions stupides. Permettez-moi de vous conseiller, monsieur Nora, de vous « éclater », vous aussi, lors d'un numéro anniversaire du *Débat*. Vous verrez, c'est très agréable. Il est vrai qu'une interview de l'animateur d'Apostrophes dans votre livraison du dixième anniversaire, ça faisait, vu des Hautes Études, dans une revue comme la vôtre, très « paillettes » et « coco-girls »...

P. N. – Et Apos' et 'Strophes, mini-institutions, n'avez-vous pas craint, si utiles qu'elles soient pour écluser du livre, qu'elles brouillent l'image de la cérémonie et qu'elles usent aussi la vôtre ?

B. P. – Je saisis mal en quoi deux entretiens, chaque semaine, d'un quart d'heure, situés entre onze heures et demie et minuit et demi, donc très tard, en fin de programme, mais toujours à propos de livres, pouvaient brouiller l'image d'*Apostrophes* et la mienne. C'est drôle que vous, qui n'êtes pas un professionnel de la télévision, ayez ce souci de la cohérence de l'image, qui, je l'avoue, ne m'a jamais effleuré. On voit aujourd'hui sur TF 1 des journalistes et des animateurs se multiplier dans des emplois différents, sans que le public s'en formalise. Mais je faisais l'inverse, creusant un peu plus loin le même sillon. *Apos'* et *'Strophes* étaient deux becquets réalisés dans un coin du studio du journal télévisé. La modestie des moyens et l'heure tardive pouvaient paraître indignes d'*Apostrophes*. En ce sens, c'était peut-être une erreur. Pourquoi, en effet, rajouter, en moins bien que ce qui existait, du superflu, du facultatif ?

Mais si je vous concède que la télévision n'y a rien gagné, le livre en était le bénéficiaire. Car c'était pour boucher les trous d'*Apostrophes*, pour compléter son programme hebdomadaire, pour donner leur chance à des ouvrages écartés, à tort ou à raison, du vendredi, pour renforcer la présence de la littérature sur la chaîne — Antenne 2, la chaîne du livre — que j'avais suggéré ce surcroît de travail et de lecture. Apos' et 'Strophes ont accueilli des poètes, des écrivains étrangers de passage à Paris, des auteurs de livres un peu marginaux, des traducteurs, des romanciers débutants, des directeurs de revues, etc. L'audience n'était pas négligeable : entre trois cent et neuf cent mille téléspectateurs. Les couche-tard, les insomniaques sont souvent des gens très... éveillés aux subtilités de la littérature et de la pensée. Non, je ne regrette pas d'avoir péché par excès, d'avoir été un peu fou.

P. N. – Apostrophes était fait pour servir les livres. J'ai pourtant souvenir d'un éreintement, celui de Le Roy Ladurie pour *L'Amour et l'Argent en Languedoc,* dont il s'est, d'ailleurs, bien sorti ; lui, peut-être pas le livre... Pourquoi faire venir un auteur si c'était pour le descendre ? Et pourquoi au contraire avoir poussé des livres — par exemple *Mes amours décomposés* de Matzneff — qu'étant ce que vous êtes vous ne pouviez pas tellement apprécier ?

B. P. – Il serait stupide d'inviter un auteur débutant pour l'éreinter. Stupide et méchant. Il serait suicidaire pour la lecture de transformer l'émission en une baraque foraine où les célébrités seraient descendues avec des balles en chiffon. Mais dire un soir à un écrivain que son dernier livre est décevant n'est attentatoire ni à la politesse ni au plaisir de lire. Cela apporte au contraire du crédit aux éloges.

Je n'avais sûrement pas invité Le Roy Ladurie dans l'intention de faire un carton sur lui. Depuis le succès de *Montaillou, village occitan*, auquel Apostrophes avait largement contribué, je suivais avec une curiosité plus que sympathique la carrière d'historien de Le Roy Ladurie, comme d'ailleurs celle des tenants les plus brillants de la « nouvelle histoire » : Duby, Ariès, Le Goff, etc. J'ai reçu les épreuves de *L'Amour et l'Argent en Languedoc*, j'ai dû en lire les pages du début et le sommaire des chapitres pour me faire une idée du sujet, que j'ai trouvé intéressant, et, quand l'occasion s'est présentée, j'ai invité l'auteur. Malheureusement, la lecture attentive du livre, les jours précédant l'émission, m'a profondément déçu. C'était un ouvrage savant, très ennuyeux, qu'on ne pouvait pas recommander au grand public. Par honnêteté, je l'ai dit. Le Roy Ladurie, très flegmatique, comme s'il n'avait rien entendu, n'a pas cillé. Aujourd'hui, il affirme ne pas se souvenir de l'« incident » que vous, son ami, n'avez pas oublié... J'observe que ma mémoire est également défaillante sur le sujet puisque, lors de la dernière émission, interrogeant l'actuel administrateur général de la Bibliothèque nationale, j'ai relaté ma sévérité à son égard, non à propos de *L'Amour et l'Argent en Languedoc*, mais du *Carnaval de Romans*... L'auteur nourrit d'autant moins de ressentiment contre moi que l'insuccès de ce livre lui a permis de faire, en partie, oublier le phénoménal succès de *Montaillou* qui faillit le perdre de réputation auprès des autres professeurs du Collège de France...

Indigné par ses *Propos secrets* — que j'appelais « Popos secrets » —, c'est délibérément, en revanche, que j'invitai Roger Peyrefitte pour lui dire qu'il était dommage que ses belles mains — que je lui demandai de montrer à la caméra — fussent employées « à remuer de la merde ».

Dans les premières années, je me sentais plus libre de critiquer, de contester. Par la suite, avec l'institutionnalisation de l'émission et la position dominante de son animateur, toute réserve de ma part passait pour un rejet du livre. M'étonnais-je de l'emploi incongru d'un mot ou de la construction fautive d'une phrase que le public en concluait que le livre était mal écrit et que j'en déconseillais la lecture. Disais-je à un auteur que cinquante pages étaient de trop, que les téléspectateurs spéculaient sur un nombre bien plus grand de pages inutiles. L'auteur était en quelque sorte victime de ma «gentillesse» qui m'avait forcément obligé à atténuer mes reproches et donc à réduire le nombre de pages dont je contestais l'utilité... Il devenait pénible à la fin que la carrière d'un livre s'arrêtât sur une de mes remarques, sur un silence, sur une moue. J'étais le premier à regretter cet excès de pouvoir qui m'empêchait parfois d'être libre, naturel et libre.

C'est cette même liberté vis-à-vis de moi-même qui me permettait d'inviter des écrivains comme Gabriel Matzneff. Prier celui-ci à Apostrophes ne signifiait pas que j'approuvais sa consommation effrénée de jeunes filles encore dans l'adolescence. Je n'ai pas à me substituer à la loi, surtout quand celle-ci semble presque aussi consentante que les jeunes maîtresses de Matzneff. Aurais-je renoncé à inviter Casanova sous prétexte qu'à son époque l'adultère était sévèrement châtié? Gabriel Matzneff est un diariste — je sais, le mot n'est pas beau, mais les auteurs de journaux intimes ne sont-ils pas souvent frappés d'incontinence? — dont le talent provocateur me divertit, depuis trente ans, plus qu'il ne m'irrite.

Quant à Denise Bombardier, elle était parfaitement dans son droit de dire, même avec véhémence, qu'elle réprouvait les mœurs et la littérature de Matzneff. À la liberté de provocation répond la liberté d'objection. Refuser celle-ci au nom de la liberté est une pitrerie ou un sophisme ridicule. Le plus drôle, c'est que certains intellectuels et journalistes, qui ont condamné l'intervention de la battante Québécoise, sont de ceux-là qui regrettaient que les invités d'Apostrophes se réfugient dans l'éloge ou le silence et n'osent plus claironner leur vérité.

D'abord choqué par l'attaque de la Bombardier, Gabriel Matzneff n'eut ensuite qu'à s'en féliciter. *Mes amours décomposés* ont remporté un petit succès de librairie inespéré et, scandalisée par les propos puritains de sa compatriote, une (très) jeune Canadienne s'est jetée dans les bras du don Juan chauve de la piscine Deligny.

P. N. – Apostrophes n'a cessé de susciter ce que *Le Journal officiel* appelle des « mouvements divers ». « Il est formidable ! » « Ça vole au ras des pâquerettes. » « Ce Pivot que le monde nous envie. » « Quand même, il mélange tout »... Indépendamment des affaires d'État, style Régis Debray, sur laquelle vous vous expliquez plus loin, avez-vous le sentiment d'une évolution globale des sentiments vis-à-vis de vous et de l'émission, surtout de la part des intellectuels ?

B. P. – On peut avancer, d'une manière assez schématique, j'en conviens, que les intellectuels étaient très opposés à la télévision dans ses vingt premières années, quand elle était la plus inventive et la plus culturelle, et qu'ils se sont, en maugréant, en traînant les pieds, ralliés à elle lorsqu'elle a commencé à se répéter et à rechercher plus l'audience que la qualité (ce qui ne signifie pas, soit dit en passant, qu'audience et qualité ne puissent pas coïncider, « 7 sur 7 », « Ushuaïa », « L'Heure de vérité », « Le Grand Échiquier », « Envoyé spécial », « Médiations », « Thalassa », etc., ont prouvé qu'on pouvait viser bien et taper fort). Longtemps frileux devant le petit écran — quand ils ne refusaient pas de s'embarrasser d'un poste —, écrivains et intellectuels ont fini par admettre que nier, snober ou moquer un média aussi puissant, aussi présent et aussi répandu relevait d'un caprice de l'esprit ou de sa démission. Comment, dès lors que la télévision changeait nos modes de vie, modifiait nos comportements, ne pas l'intégrer dans le romanesque ou l'inclure dans une réflexion sur la modernité ? Bon gré mal gré, la pensée intello s'est faite de plus en plus solide au poste, et il est même devenu chic et passionnant (Baudrillard, par exemple) de prendre la télévision comme sujet d'expertise sociologique.

Apostrophes a commencé au milieu de ce long virage historique, ce qui n'était pas favorable. Car d'une part, de condescendant, flou ou amusé le regard de l'intellectuel sur la télévision s'est fait alors critique, pointilleux, énervé ; d'autre part, la réputation presque mythologique de «Lectures pour tous» pesait sur toutes les émissions littéraires qui avaient essayé d'en capter l'héritage. Se libérer de cette fameuse tutelle paraissait sans espoir. Il valait mieux ne pas y songer, et c'est cinq ou six ans après son démarrage, au début des années quatre-vingt, que j'ai compris que si Apostrophes ne ferait jamais oublier «Lectures pour tous», et c'était tant mieux, l'émission de Desgraupes, Dumayet et Max-Pol Fouchet n'agiterait plus sur la mienne son ombre mafieuse et sacrée. Je n'avais plus à m'excuser de parler des livres à la télévision, Apostrophes pouvait continuer sans qu'on la fît passer sous la toise des références nostalgiques.

Ainsi, par un étrange paradoxe, «Lectures pour tous» s'était fait une magnifique réputation auprès du public intellectuel quand celui-ci méprisait la télévision, et Apostrophes fut longtemps ou contestée ou minimisée par ces mêmes intellectuels alors qu'ils ne regardaient plus leur poste avec hostilité. Je vous le répète : tout cela en gros, et il ne me serait pas difficile de trouver d'éclatantes exceptions, comme Maurice Clavel, François Châtelet, Emmanuel Le Roy Ladurie, qui aimaient s'exprimer à la télévision

147

et appréciaient la tribune que leur offrait parfois Apostrophes.

Ce qui passait mal, les premières années, chez certains, c'était ma petite personne, mes manières, mon culot, ma carte de visite. Trop journaliste, pas assez intellectuel, précisément. Trop courriériste, pas assez critique. Trop bourgogne, pas assez bordeaux. Trop direct, pas assez second degré. Trop populaire, pas assez esthète. Et comme Apostrophes s'était installée rapidement dans le succès, on daubait à Saint-Germain-des-Prés sur un pouvoir suspect ou une influence frelatée. Je n'avais pas de titres universitaires. Je n'écrivais pas, je ne publiais pas. Je n'étais pas de la *paroisse*. Je n'appartenais pas à ce que Régis Debray appelait la « haute intelligentsia », ce qui ne m'empêchait pas d'inviter, sans vergogne, sous les *sunlights*, d'éminents membres de la « h.i. » : Barthes, Foucault, Girard, Glucksmann, etc.

À cette indignité foncière qui m'était implicitement reprochée, j'avais opposé ceci, dans *Le Matin* (14 mai 1979), après une première attaque de Debray dans *Le Pouvoir intellectuel en France* : « Qui t'a permis, petit Pivot, de déclencher la bataille publique des nouveaux philosophes ? De quel droit as-tu donné la parole aux Kéhayan dans un débat avec d'autres communistes ? Quelle est cette France où les producteurs d'idées ne sont plus uniquement jugés en cénacle privé par d'autres producteurs d'idées, mais s'expriment en toute liberté devant des millions de gens qui, forcément, ne sont pas tous normaliens, ne sont pas tous collaborateurs du *Monde*, ne sont pas tous de futurs académiciens, n'appartiennent pas tous à l'élite ? Quelle est cette populeuse, donc malfamée rue Cognacq-Jay où l'on ose faire concurrence aux élégantes boutiques littéraires et aux orfèvres en idées de la rue d'Ulm, de la rue de la Sorbonne, de la rue des Italiens et du quai Conti ? »

Face aux grosses concentrations de clercs — j'aurais pu ajouter celle de la rue Sébastien-Bottin —, je demandais qu'on prît en compte une triple légitimité. Premièrement, celle de la télévision, de son salon du vendredi soir : non seulement il n'y avait pas d'indignité à s'y exprimer, mais il était élégant, crâne, de venir se faire entendre d'un public de bonne volonté, ouvert aux choses de l'esprit et aux sortilèges de la littérature, qu'il serait scandaleux de rejeter avec dédain dans la consommation habituelle du divertissement popu. Ne méprisons ni ne désespérons ni Boulogne ni Billancourt.

Deuxièmement : la légitimité de la parole. Rien ne surpasse l'écrit dans son commentaire sur l'écrit, mais, toute maladroite, toute superficielle qu'elle est, la parole — du libraire, du bibliothécaire, du bouche à oreille, du journaliste, de l'écrivain — ne constitue-t-elle pas l'accès le plus commode et le plus efficace au texte ?

Troisièmement : la légitimité du journaliste. Bon, d'accord, c'était regrettable, il n'était pas lui-même un producteur ou un expert, mais il appartenait au sérail depuis près de vingt ans, et si sa fonction de saute-ruisseau était modeste, il avait déjà usé ses yeux sur les livres. Nanti de la confiance de son entreprise, ayant conquis celle des téléspectateurs, s'il continuait de faire son boulot de questionneur d'auteur avec honnêteté et application, pourquoi lui refuser notre agrément ?

C'est dans le supplément littéraire du *Monde* — auquel Apostrophes avait retiré une partie de son magistère sur les livres — que les piques étaient les plus nombreuses. Dans ma réponse à Régis Debray, citée plus haut, j'avais dénoncé en passant « la vieille apostrophobie » de Bertrand Poirot-Delpech. Nous avions à cette époque échangé quelques lettres courroucées. Plus de dix ans ont passé, la télévision a bien changé, Debray et Poirot-Delpech aussi, et ce qu'ils contestaient au nom de grands principes leur est apparu ensuite, dans des programmes de télévision de plus en plus racoleurs, digne de leurs encouragements. D'où le tonitruant « Merci, Pivot » de B.P.-D. dans *Le Monde*, quelques jours avant la fin d'Apostrophes. Voici une devinette qui, je l'espère, va vous amuser : quelle ressemblance y a-t-il entre de Gaulle et Pivot ? Réponse : après les avoir l'un et l'autre combattus, Régis Debray s'est rallié au grand Charles et au petit Bernard...

La grogne des intellos s'est apaisée d'elle-même, même si deux ou trois irréductibles, comme l'atrabilaire François Georges, continuaient de voir en moi une sorte de Trissotin malfaisant. Il est significatif que *Télérama*, le seul hebdo culturel de la télévision, a plus apporté son appui à Apostrophes dans les dernières années que dans les premières. C'est l'évolution commerciale de la télévision, toutes chaînes confondues, qui a procuré à mon émission une rallonge de crédit et un surcroît d'aura.

Vous-même, Pierre Nora, membre de la haute intelligentsia, qu'avez-vous observé à propos d'Apostrophes durant ces quinze années, à l'intérieur de la prestigieuse secte ? Veuillez répondre franchement, je vous prie, et ce n'est que lorsque je serai en possession de votre texte que je prendrai connaissance de votre question suivante.

P. N. – Mouvements divers, vous disais-je, faits d'un mélange indémêlable qui couvre toutes les nuances de l'arc-en-ciel, même le rose, mais dont la courbe est allée, *grosso modo*, de la condescendance sans états d'âme à la reddition plutôt malheureuse. Typique, cette émission où figuraient à la fois Braudel, qui avait l'air d'un bourgeois en visite chez un voisin de campagne, et Bourdieu, pour *La Distinction*, qui avait éprouvé le besoin d'expliquer, dans *Le Matin*, pourquoi il s'était cru obligé de venir...

Entre les deux, j'ai tout vu : ceux qui auraient bien voulu faire mettre dans leur contrat une clause d'invitation, et ceux qui l'auraient bien assorti d'une clause de refus. Ceux qui allaient chez vous comme chez le dentiste, ou dans une maison de passe, et ceux qui faisaient semblant d'y être traînés. J'ai même rencontré des « apostrophés » heureux. Surtout les étrangers, ravis d'avoir goûté à cette spécialité française. Je revois encore George Steiner, pour qui votre invitation très attendue représentait son brevet de naturalisation à la culture française, tourner des heures autour de la rue Sébastien-Bottin en méditant son intervention dont l'éloquence vous a laissé pantois. Mais, derrière les différences de réactions, la réticence générale tenait à des questions de principe. Il faut comprendre qu'entre le travail intellectuel vrai, de quelque nature qu'il soit, et la reconnaissance purement extérieure que donnent les médias, il n'y a simplement aucun rapport. Ni René Thom, ni Maurice Blanchot, ni Jean-Pierre Vernant, ni tant d'autres n'ont eu besoin du petit écran pour être ce qu'ils sont. Tout producteur intellectuel est engagé dans un processus de reconnaissance, mais dont les mécanismes ne passent pas par la reconnaissance médiatique, qui peut même la compromettre si l'on en mésuse, ou la ruiner si l'on en abuse. Car un intellectuel n'a qu'une chose à défendre : son nom et son image.

Or Apostrophes était, à cet égard, une émission ambiguë ; j'en ai fait quelquefois l'expérience — merci. Salon démocratique, tribune ? Oui et non. D'un salon, on connaissait la compagnie, une tribune on l'occupe. Des émissions comme «Droit de réponse» ont donné à Apostrophes le chic que *L'Événement du jeudi* a donné au *Nouvel Observateur*, j'en conviens. Mais on n'y choisissait quand même pas du tout ses partenaires, et vous contrôliez si bien le déroulement, la parole, la lumière, qu'il n'était pas si facile que cela, ni évident, d'échapper au double péril de faire le mariolle ou de faire la marionnette. Foire d'empoigne, non ; mais quelque chose du tour de manège, de l'uniforme en carton-pâte avec un trou pour passer la tête. Cinq minutes pour convaincre et, pis, pour convaincre de soi ! «L'ai-je bien descendu ?» J'ai compati, par exemple, en entendant mon ami Jacques Le

Goff, intellectuellement si rigoureux, si généreux, décerner tout à trac à un Jean-Louis Bory médusé le label de « nouvel historien » !

Le fond du problème c'est que, *volens nolens*, malgré vous, mais de fait, vous vous êtes trouvé en position d'arbitre, et même de juge, par le simple fait du coup de projecteur dont vous disposiez. C'est cette position qui était ressentie comme inacceptable. Que diriez-vous si je me retrouvais en train de décerner le prix Nobel de physique ? Ou si l'on vous demandait, même à vous qui êtes un amateur éclairé, d'arbitrer le match Allemagne-Argentine ?

Vous étiez, vous, à titre personnel, sauvé parce que reconnu 1) honnête, 2) prudent, 3) sympathique. Je vous ai même, personnellement, trouvé toujours trop timide à vous aventurer dans le domaine des idées, dont vous vous êtes, en général, fort bien tiré. Je me souviens de Georges Dumézil, que vous avez hésité à affronter pendant des années et que vous avez fini par traiter *in extremis* en particulier, pour une émission très réussie et qui lui avait laissé, à lui, le meilleur souvenir. Mais je pourrais vous donner une assez longue liste de personnalités intellectuelles, quand même très supérieures à bien des habitués du vendredi soir, que l'on regrette de ne pas y avoir vues, ou pas vues sous leur vrai jour. D'où le sentiment que les hiérarchies n'étaient pas respectées, que les jugements étaient arbitraires, injustes ou conformistes. Vous vous êtes, en particulier, mis en difficulté avec la « prestigieuse secte » au moment des « nouveaux philosophes » qui étaient précisément, en 1979, la première expérience d'une création médiatique de valeur intellectuelle non reconnue en termes de qualité par le « milieu ». Tout le monde savait que le principal mérite de *La Barbarie à visage humain* était de populariser les idées que d'autres avaient criées dans le désert, comme Claude Lefort ou Cornelius Castoriadis que, si je ne m'abuse, on n'a pas vus à *Apostrophes*. La chose a d'ailleurs paru recommencer quand, justement, sur les intellectuels et la culture, vous avez choisi, personne ne comprenant pourquoi, d'inviter Bernard-Henri Lévy au lieu d'Alain Finkielkraut, qui s'imposait, laissant d'ailleurs ainsi à Michel Polac le soin de faire le succès de ce dernier. Mais c'est loin d'être le seul cas. À une émission sur « Le temps des dieux », où l'on a vu Marcel Detienne (et Vidal-Naquet, à propos... ?), Philippe Noiret était épatant, mais pas de Jean Bottéro, dont vous aviez déjà raté *Naissance de Dieu* et qui venait justement de publier *Quand les dieux faisaient l'homme*, admirable présentation de la mythologie mésopotamienne, digne de Dumézil et de Lévi-Strauss, et qui, en plus, était hautement

« pivotisable ». À une récente émission sur les droits de l'homme, autour du dalaï-lama, pourquoi Edgar Morin, par exemple, qui n'était pas en situation, et pas Marcel Gauchet — lequel a dû s'en réjouir mais qui venait de publier sur les droits de l'homme le livre qui comptait, et dont vous aviez déjà laissé passer *Le Désenchantement du monde,* livre important de ces dix dernières années ? Faut-il continuer ?

La question a pris d'autant plus d'importance et de gravité que l'irruption des médias est précisément venue bouleverser, depuis quinze ans — la durée d'Apostrophes —, le régime de la vie intellectuelle, ne laissant qu'une voie étroite et difficile entre la prosternation suicidaire et le refus de principe. C'est pourquoi je vous ai répondu longuement. Les médias sont pour les intellectuels une menace comme le fut, comme l'est encore pour les écrivains la mondanité. Beaucoup y ont laissé leur peau d'intellectuels, même s'ils y ont trouvé un public et une carrière. Un intellectuel médiatique vit du commerce des idées des autres, il n'y a pas à sortir de là. C'est pourquoi je connais très peu de vrais producteurs d'idées pour entretenir avec la télévision des rapports détendus et « normaux ». Ceux qu'on peut avoir par exemple avec les décorations qui, selon la formule, ne se demandent pas, ne se refusent pas, ne se portent pas.

Et n'avez-vous pas dû, vous-même, faire un gros effort pour conserver, avec la télévision, ces rapports détendus et normaux ? Or, pour vous, une émission était un enjeu mince et généralement rattrapable. Pour un invité, une émission d'Apostrophes était un mélange de rien du tout et de cent pour cent.

B. P. – D'abord, quelques petites remarques avant de vous répondre sur le fond.

J'ai plus de chance de bien arbitrer Allemagne-Argentine (même si je ne tiens pas toute la partie) que vous de décerner judicieusement le Nobel de physique.

L'évocation du sport me permet de rappeler qu'il en est de nous tous comme des athlètes : nous avons des périodes de forme et de méforme. Je devais être dans une grosse période de méforme — lassitude ? inertie ? aveuglement ? — quand j'ai laissé passer *La Défaite de la pensée* d'Alain Finkielkraut, qui est l'un de mes plus beaux ratages, avec *L'Empire éclaté*, d'Hélène Carrère d'Encausse.

« Droit de réponse » a été lancé alors qu'Apostrophes existait depuis près de sept années. La différence entre *Le Nouvel Observateur* et *L'Événement du jeudi* est encore plus grande. Le chic, la classe, l'élégance, le chien, et même le pep, on ne les a pas par comparaison, on les a ou on ne les a pas, ou plutôt on vous les reconnaît ou pas, c'est selon, c'est comme ça.

Je suis convaincu que si vous aviez été l'éditeur de *Vidal et les siens* d'Edgar Morin, vous n'auriez pas trouvé injustifiée sa présence auprès du dalaï-lama, dans une émission sur les « droits de l'homme ». Mais je reconnais qu'une invitation de votre talentueux collaborateur Marcel Gauchet eût été opportune. Il fallait faire un choix. C'est celui d'un journaliste hésitant et non celui d'un universitaire rigoureux, ou d'une conscience emblématique ou d'un pur esprit. (Je me rappelle m'être dit que j'aurais sûrement d'autres occasions de faire sa place au *Désenchantement du monde*, puis de nouveaux livres ont été publiés qui m'ont fait oublier celui-ci, et ce fut alors le désenchantement du monde aggravé du vôtre... Combien d'auteurs ont failli être invités, écartés au dernier moment au profit d'autres improbables un quart d'heure auparavant, rejetés avec une émission qui ne se fit pas pour laisser la place à une émission que j'avais préférée au dernier moment, sur une envie, sur un mouvement d'humeur, sur un calcul stratégique, sur un conseil ?)

Je ne suis pas surpris par la mauvaise opinion que la haute intelligentsia avait d'Apostrophes, de son trouble, de son désarroi, de ses réserves, de ses ricanements, de son pyrrhonisme lorsque l'un de ses membres y était convié (même si celui-ci n'était pas mécontent d'en être, tout en redoutant cette plongée dans le populaire, tout en étant ravi de sortir de son noble isolement, tout en craignant quelque prestation trop réductrice, tout en se félicitant de..., etc.). Normal qu'il y ait antinomie entre la recherche intellectuelle et le commerce de la télévision, entre les subtiles spéculations des sciences humaines et la vulgarisation du discours médiatique. Logique qu'il n'y ait aucune affinité entre la prestigieuse secte et les journalistes, qu'elle se montre à leur égard méfiante et condescendante, et que ceux-ci soient d'une révérence anxieuse et découragée devant les illustres professeurs.

Je pense même que si les membres de la « h. i. » étaient allés à Apostrophes sans état d'âme, la fleur au fusil, leur attitude eût relevé de l'inconscience ou de la démission. Or, un intellectuel inconscient ou démissionnaire ce n'est plus qu'un pauvre type. Un intellectuel, c'est d'abord quelqu'un qui réfléchit avant d'écrire ou de parler, qui réfléchit avant de réfléchir, et qui réfléchit même sur l'utilité de la réflexion avant la réflexion proprement dite. Il est probable que certains intellectuels ont dû se mettre la cervelle au court-bouillon pour, au cas où je les aurais invités et afin de ne pas être pris au dépourvu, adopter une position, justifier cette position auprès de leurs confrères de la « h. i. » — dans le cas d'une acceptation — et de leur éditeur — dans le cas d'un refus. Malheureusement, trop souvent l'invitation n'est pas venue...

Je pense aussi que si j'avais prié à Apostrophes la prestigieuse secte, non pas au compte-gouttes mais à profusion, groupée, j'aurais fait une autre émission qui vous eût plu davantage, mais qui n'eût probablement pas duré quinze ans et demi. Pour faire le brave ou l'érudit, le branché ou le décalé, n'aurais-je pas alors dévié de ma trajectoire de journaliste qui s'efforçait de donner à lire au plus grand nombre ?

Vous avez raison d'épingler ma timidité à m'« aventurer dans le domaine des idées ». C'est que, pendant quinze ans, au *Figaro littéraire* d'abord, au *Figaro* ensuite, je ne m'étais occupé et nourri que de romans, biographies, journaux intimes, témoignages, documents, livres d'histoire, etc., très très rarement d'ouvrages de sciences humaines. De sorte que ceux-ci n'étaient pas dans mon champ de curiosité quand la télévision m'a ouvert ses studios. C'est au fil des années — et après avoir fait le tour des grands écrivains : Jouhandeau, Cohen, Yourcenar, Simenon, etc. — que je me suis peu à peu tourné, sans pour autant abandonner la littérature, vers les auteurs que vous chérissez et, parfois, publiez. Je me suis donc mis à lire Caillois, Barthes, Foucault, Bourdieu, Jankélévitch, plus tard Lévi-Strauss et Dumézil — de ces deux-là je n'avais pour ainsi dire pas lu une seule ligne sérieusement —, Dolto, Aron, d'autres encore. Mais que de travail pour combler mes lacunes ! Et ce que je faisais pour quelques-uns, ceux qui me semblaient les plus médiatisables, je ne pouvais le faire pour tous. D'où ces oublis, ces injustices que vous me reprochez. Jean Bottéro, oh si, je l'ai bien vu arriver avec son formidable cortège de dieux, mais j'ai craint, par manque de temps, peut-être aussi par manque de courage, d'errer et de me perdre dans sa Mésopotamie. Et toujours parce que j'ai renâclé devant l'effort, je n'ai pas reçu Levinas, Vernant, Castoriadis, etc.

Où je proteste avec véhémence, c'est lorsque vous voulez nous faire croire qu'il était difficile pour les intellectuels « d'échapper au double péril de faire le mariolle ou de faire la marionnette ». Tous les noms cités plus haut ont su, dans des registres différents — où avez-vous vu qu'ils n'avaient droit qu'à « cinq minutes » ? —, parler avec intelligence — c'est bien le moins —, avec aussi passion, humour, sincérité, de leurs travaux, de leurs idées, d'eux-mêmes. Quand vous, membre peu charitable et ironique de la

« h. i. », vous leur trouviez parfois l'air godiche de faux saltimbanques, le public applaudissait et en redemandait (je le sais par le courrier). Pour un Braudel un peu emprunté, pour un Le Goff un instant trop gentil, mais captivant, que d'intellos — cependant, pas assez nombreux j'en conviens, parfois mal choisis à vos yeux... d'éditeur — sont parvenus à dérouler sur le petit écran le tapis magique de la connaissance.

J'entends encore Roger Caillois, le front en sueur, raconter avec fougue l'histoire du fleuve Alphée qui se perd dans la mer pour resurgir sur un autre continent. Tous les écrivains, tous les intellectuels sont des fleuves Alphée qui se perdaient à la télévision, un vendredi soir, et dont la parole, fragile, obscure, précieuse, resurgissait dans des terres insoupçonnées.

Ayez encore l'obligeance, s'il vous plaît, de répondre à cette question : comment la haute intelligentsia va-t-elle réagir quand elle va découvrir votre nom sur la couverture de ce livre à côté du mien ? Pensez-vous que la prestigieuse secte vous pardonnera un jour cette mauvaise fréquentation ?

P. N. – Je ne sais pas, et franchement, c'est le cadet de mes soucis. Il y en aura, j'imagine, pour se dire que je n'en fais jamais d'autres. Et certains, j'espère, pour penser que c'était une très bonne idée et que j'ai eu bien de la chance qu'elle vous plaise... Mais ne nous faisons pas d'illusions. Nous serons, l'un et l'autre, jugés au résultat. Intéressant ou pas. Alors, poursuivons... Vous n'êtes pas inconscient, j'imagine, qu'Apostrophes est loin de n'avoir eu sur l'édition que des effets positifs. Bien des éditeurs y ont laissé des plumes. Mécanisme classique : l'invitation tombe, inespérée, sur un livre tiré à trois mille et distribué à mille cinq cents exemplaires. Commande des libraires, publicité obligatoire et réimpression immédiate à trois, cinq ou dix mille. La prestation, pour une raison ou une autre, est sans effet. Les retours pleuvent, la réimpression entière reste sur les bras. Vous n'y pouviez rien, mais il faut le savoir...

B. P. – Il faut savoir aussi que certains éditeurs étaient bien naïfs, qui croyaient qu'Apostrophes était une sorte de «Roue de la fortune» où l'on gagnait à tous les coups. Avais-je inventé le canon qui propulsait immanquablement le livre au succès ? Évidemment, non. Propriétaire de cette arme, je serais devenu l'artificier miraculeux de la librairie et ma puissance eût été telle qu'elle serait devenue insupportable. Grâce à Dieu, l'influence d'Apostrophes restait imprévisible, aléatoire, fluctuante. C'étaient les téléspectateurs qui décidaient de faire d'un livre un best-seller ou de le laisser en mornes piles dans les librairies. Impossible de savoir à l'avance si, après son passage chez moi, un auteur vendrait 200 000, 50 000, 10 000, 5 000 ou 500 exemplaires de son bouquin, ou même s'il ne serait acheté par personne, peut-être est-ce arrivé ? Cette incertitude dans ses effets commerciaux était, à mes yeux, un des ressorts de l'émission, mais je conçois très bien que pour les directeurs des ventes des maisons d'édition les risques n'étaient pas négligeables.

Car s'ils tiraient trop, ils perdaient de l'argent dans les coûteux retours ; mais s'ils ne tiraient pas assez, si la mise en place dans les librairies et supermarchés avait été trop prudente, ils pouvaient, dans la seule journée du samedi, rater la vente de plusieurs milliers d'exemplaires — qui ne retrouvaient pas tous leurs clients, les semaines suivantes, après que l'éditeur avait procédé à une réimpression et à une nouvelle distribution. Il était difficile d'appliquer avec rigueur à Apostrophes les lois du marketing. Le flair y reprenait du service.

Je n'ai jamais su qui, le premier, a répandu cette ânerie selon laquelle tout livre dont l'auteur était invité à Antenne 2, le vendredi soir, voyait ses ventes croître d'au moins 20 %. Trop beau pour être vrai. Trop simple pour n'être pas tordu. Même des professionnels y ont cru. L'un d'eux, alors diffuseur des Presses de la Cité, avait même fait cette déclaration insensée à *Livres Hebdo* : « Avant, un passage sur le plateau de l'émission nous donnait l'assurance de 30 000 à 40 000 ventes. Aujourd'hui, la majorité des ouvrages qui en bénéficient n'atteignent pas ce chiffre. »

J'avais répondu à ce monsieur, traité de « béjaune de l'édition », que les retours seraient forcément massifs si, quels que soient le nom de l'auteur et le contenu du livre, il en répandait plusieurs dizaines de milliers dans la nature... Navrante crédulité ou fieffée incompétence ? Mais il n'est pas contestable que les difficultés à gérer les retombées commerciales d'Apostrophes étaient bien réelles. Les retours à l'envoyeur, après que celui-ci avait espéré toucher le gros lot, constituaient l'une des perversions de l'émission.

P. N. – Car il y en avait d'autres ?

B. P. – Au moins une, et de taille, et plus embêtante que les contorsions commerciales auxquelles se livraient les éditeurs. Il s'agit d'une perversion d'image. Pour un public populaire, qui ne lit pas les magazines littéraires ou les rubriques sur les livres, tout auteur passé par Apostrophes était un écrivain et, inversement, si l'on n'avait pas été invité à l'émission, c'est qu'on n'était pas un écrivain. Apostrophes accordait ou n'accordait pas ce label social. C'était aberrant, mais plusieurs lettres, beaucoup de témoignages m'ont convaincu que cela fonctionnait ainsi.

On avait publié une demi-douzaine de romans dans l'indifférence des parents, des voisins, des commerçants du quartier, et voilà qu'au septième on était invité par Pivot. C'est donc que tous ces romans avaient de l'«intérêt», de la «valeur», et qu'on était un vrai écrivain. Le regard des autres n'était plus le même.

En revanche, on continuait d'aligner les livres sans jamais recevoir la consécration d'Apostrophes. Le regard des cousins, de la concierge, des fournisseurs, des copains des enfants, et même de ses propres enfants, devenait chaque année plus dubitatif, plus incrédule, plus narquois ou plus attristé. On vit mal, quand on écrit et qu'on est publié, de ne pas bénéficier d'un passage dans une émission littéraire, mais on supporte encore plus difficilement de se savoir déprécié par une invitation qui ne vient jamais.

P. N. – De cette marée de livres que vous avez reçus en quinze ans quels sont ceux que vous avez gardés ? Avez-vous jeté sans regrets tous ceux que vous aviez criblés de petits papiers

roses ? Véritable dépôt légal, n'avez-vous pas
songé à constituer une bibliothèque représentative des années d'Apostrophes ?

B. P. – Le lecteur a gardé les livres qu'il a
aimés et le journaliste les ouvrages de référence,
appréciés ou pas. Prenons quelques exemples.
Le lecteur a tous les livres de Cohen, Modiano,
Tournier, Rinaldi, Blondin, Updike, Nourissier,
Berberova, Echenoz, etc. Le lecteur-journaliste
a soigneusement rangé la *Correspondance Marcel
Proust-Gaston Gallimard,* la biographie de *Léonard
de Vinci,* par Serge Bramly, l'*Histoire de la littérature érotique* d'Alexandrian, et *Intellectuels et
passions françaises* de Jean-François Sirinelli,
ouvrages de référence très appréciés — je pourrais en citer de mémoire des dizaines et dizaines
d'autres — que je serai peut-être un jour amené
à consulter pour un article, pour une émission.
Le journaliste a également gardé par-devers lui
les *Lettres à Sartre,* de Simone de Beauvoir, quoiqu'elles lui aient paru dans l'ensemble décevantes ; mais ne sera-t-il pas content de pouvoir,
demain sait-on jamais, s'y reporter — pour vérifier un fait, une citation ?
Ma bibliothèque est fondée, probablement
comme la vôtre, sur le double registre « j'ai lu et
aimé-je relirai », « j'ai appris-j'aurai besoin »,
« j'ai annoté et souligné-je profiterai du travail

déjà fait ». Nostalgie et promesses. Plaisirs et efficacité. Une petite centaine de livres s'installe chaque année sur mes rayonnages, pas plus. Gare aux grands rangements d'hiver : ceux qui avaient profité de mon indulgence ou d'un optimisme injustifié n'en réchappent pas. Je rejette sans regret des ouvrages auxquels j'ai consacré plusieurs heures si je sais qu'ils n'étaient que de circonstance et qu'ils ne serviront plus ni à mon plaisir ni à mon travail. Les journalistes, je vous l'ai déjà expliqué à propos des personnes interviewées, sont des prédateurs.

Probablement aussi parce que je ne me prends pas au sérieux, il ne m'est jamais venu à l'idée de constituer une bibliothèque représentative des années d'Apostrophes. Pas plus que je n'ai édifié une vidéothèque avec les enregistrements de l'émission. Je n'ai pas fait collection non plus de mes chroniques radiophoniques et de mes articles publiés dans la presse. Le journalisme est le règne de l'éphémère et du volatil. Je m'en accommode très bien. Sans votre insistance de directeur de revue, d'éditeur et d'historien, ce livre n'aurait jamais existé. Mais je reconnais que je prends plaisir à le faire...

P. N. – Terminons. Il y aura donc eu un « moment Apostrophes ». Il a correspondu à une certaine démocratisation de la culture — et y aura contribué. Il a illustré la place très particulière qu'occupe, en France, la tradition littéraire dans l'esprit public. Il a représenté, à une époque de pleine expansion de la télévision, une formule type. À ce moment vous êtes identifié. Et maintenant, et après? Vous avez vous-même décidé l'arrêt de mort d'Apostrophes, mais vous avez la vie devant vous. Au service de quoi allez-vous mettre l'énorme crédit que vous ont valu ces quinze ans d'une exceptionnelle réussite?

B. P. – Je sens monter en moi l'envie délicieuse de multiplier les curiosités. De redevenir un journaliste qui bouge, ne serait-ce que pour aller au cinéma. J'ai lu tous les livres, la chair n'est pas si triste que ça, j'ai des fourmis dans les jambes et mon cœur se plaint de n'être agité, depuis quinze ans, que par des mots sur du papier. Il y a des émotions à prendre ailleurs. La culture est chaque jour foisonnante. Comme il doit être excitant de s'y plonger pour en rapporter des informations, des indignations, des récréations, des jubilations, une émission. La culture dans sa diversité et son mouvement : tel est le domaine où je veux risquer mon pécule.

Je suis conscient des difficultés de l'entreprise : d'abord parce que le public est censé préférer des magazines spécifiques (du livre, des arts, du cinéma, du théâtre, etc.) à des émissions qui pratiquent le mélange des genres et qui ont d'ailleurs rarement été tentées ; ensuite, parce que la culture, laminée par le divertissement pour tous publics, recueille des audiences qui ne pèsent rien dans la main des annonceurs et des publicitaires ; enfin, conséquence de ce qui précède, parce que les émissions culturelles ont été pour la plupart rejetées dans deux ghettos, l'un spatial, la Sept, l'autre temporel, après 22 h 30, toutes chaînes généralistes confondues.

Mais je me crois redevable, vis-à-vis des téléspectateurs d'Antenne 2, d'une dette de reconnaissance dont je ne peux m'acquitter qu'en courant des risques dans le seul domaine de la télévision où il est périlleux mais très excitant d'oser : la culture.

Ne trouvez-vous pas cette fin un peu trop emphatique ? Mais prometteuse ?

Souvenirs
en toutes lettres

A

Apostrophes

« Pour honorer les lettres ou pour les supprimer. » Robert Scipion, dans une grille de mots croisés du *Nouvel Observateur*.

Apostrophes

Dans certains lieux chauds de Paris, on hésite à attribuer un genre (en dehors du mauvais genre) aux personnes spécialisées dans les relations humaines rapides. Je suis de même très embarrassé pour dire à quel sexe appartiennent certains mots. Les mots commençant par *a* sont particulièrement redoutables. Azalée, apophtegme, apogée, asphodèle, arcane, apocope, alluvion, etc. : masculin ou féminin ?

Dans cette liste, il y avait aussi « apostrophe ».
Que je n'employais jamais, de crainte, par ma
faute, d'en faire un transsexuel.

Fin 1974, après l'éclatement de l'O.R.T.F.,
Marcel Jullian avait été nommé président de la
deuxième chaîne. Comme il m'avait demandé
de créer une nouvelle émission sur les livres,
je lui présentai, sur cinq feuillets, le projet
d'Apostrophes. Il occupait un bureau à la Maison de la Radio et il était sollicité sans cesse
par deux secrétaires, trois téléphones, cinq
collaborateurs, dix quémandeurs et une délé-
gation de grévistes.

— Pourquoi Apostrophes ? fut l'une de ses
rares questions. D'abord parce qu'il me faisait
totalement confiance, ensuite parce qu'il
devait lui-même répondre à mille questions
urgentes sur le fonctionnement de sa chaîne.

— Apostrophes, lui répondis-je, parce que,
comme tu le sais, c'est l'élision d'une voyelle
et donc un signe d'imprimerie — nous
sommes dans les livres —, et parce que c'est
aussi une figure de rhétorique par laquelle on
se parle, on s'interpelle — nous sommes sur
un plateau de télévision et on cause. « Apostrophes », c'est à la fois l'écriture et la parole...
Ce que je ne dis pas ce jour-là à Marcel Jullian, c'est que ce mot m'était venu tout de
suite à l'esprit, non parce qu'il m'était fami-

lier et sympathique, mais parce que je le redoutais. Double avantage : il désignait très bien ce que j'allais entreprendre et j'allais enfin ne plus hésiter sur son genre.

À noter toutefois que, par la suite, si je m'en suis toujours tenu au féminin — « c'était une Apostrophes assez amusante » (curieux ce singulier pour un mot au pluriel) —, beaucoup de gens, parlant de l'émission, ont masculinisé le mot : « le dernier Apostrophes était ennuyeux », « quel est le thème du prochain Apostrophes ? ». En vérité, ils veulent parler du dernier ou du prochain *numéro* d'Apostrophes. Ainsi ai-je sans le vouloir contribué à faire d'*apostrophe* un mot hermaphrodite, et compliqué la tâche de ceux qui, comme moi, sont brouillés avec le sexe des mots.

Attachées de presse

J'ai toujours considéré que les attachées de presse, quelles que fussent leurs compétences, étaient les intermédiaires naturelles entre éditeurs-auteurs et Apostrophes. Je n'ai jamais invité directement un écrivain, je laissais le plaisir à l'attachée de presse de lui passer le coup de fil espéré (ou redouté). Quand les auteurs étaient dédaignés, injustement ou non, par Apostrophes, les pauvres attachées de presse en étaient souvent tenues pour responsables, alors qu'elles n'avaient évidemment pas les moyens d'imposer quiconque. Il était donc juste que, lorsqu'un des livres qu'elles défendaient décrochait pour son signataire un fauteuil un vendredi soir, à Antenne 2, le mérite de le lui annoncer leur revînt.

Cas isolé heureusement : l'une d'elles a été virée parce qu'elle n'avait pas obtenu d'Apostrophes depuis six mois. Certaines ont clairement dit à mon assistante que si, dans les semaines à venir, aucun de leurs auteurs n'était retenu, elles étaient menacées de licenciement. Je crois qu'elles étaient sincères. Mais l'aveu confinait au chantage. Dans ces quatre ou cinq cas, très marginaux pour plus de quinze ans d'émission, la chance a voulu que leur maison publiât quelque temps après un ouvrage sur lequel j'allais jeter mon dévolu...

Un jour, indigné par des histoires d'attachées de presse qu'on avait scandaleusement rendues responsables de l'échec de livres dont éditeurs et auteurs attendaient monts et merveilles, j'ai écrit, dans *Lire*, ce texte qui, quatre ans après, est encore affiché dans le bureau de quelques-unes : « Les attachées de presse des maisons d'édition sont des saintes. Mal payées, corvéables à merci, toujours suspectes d'être inefficaces, accusées de laisser tomber des livres au profit d'autres, sollicitées pour des interventions inopportunes, submergées d'exigences et de plaintes, forcément attentives aux états d'âme de tous les auteurs, elles sont certaines d'être associées à un échec alors que la part qu'elles ont prise dans un succès n'est pas toujours reconnue. Normal : si un écrivain est encensé, couronné, son livre vendu à plusieurs dizaines de milliers d'exemplaires, il considère que c'est la juste contrepartie de son talent ; s'il est ignoré de la critique, son livre dédaigné par le public, il en tient l'attachée de presse pour la principale responsable — avec l'éditeur, lequel n'est pas loin de penser, lui aussi, que sa collaboratrice aurait pu quand même faire mieux... »

Bien sûr, certaines attachées de presse sont compétentes et efficaces, d'autres brouillonnes ou ignorantes. Mais on ne peut reprocher à la plus nulle de n'avoir pas bien défendu un livre indéfendable.

Les plus redoutables sont, d'une part, celles qui n'ont qu'un livre à promouvoir, soit parce qu'elles appartiennent à une toute petite maison d'édition, soit parce qu'elles ont été engagées par une grande pour ne s'occuper que d'un livre bien particulier que l'éditeur veut

« pousser » ; d'autre part, celles qui, ayant trop de livres à promouvoir, sont dans l'incapacité de parler sérieusement d'ouvrages qu'elles n'ont même pas eu le temps de feuilleter. Cette dernière difficulté a été surmontée dans les maisons à grosse production par le recrutement de plusieurs collaboratrices qui se partagent les relations avec la presse et qui, surtout, ne sont responsables chacune que d'un domaine spécialisé, romans ou sciences humaines ou documents ou albums...

À mes yeux, la bonne attachée de presse est celle :

— qui sait de qui et de quoi elle parle ;

— qui sait adapter son discours — choix des livres et manière de les présenter — au journaliste qu'elle a en face d'elle ;

— qui sait s'enthousiasmer à bon escient ;

— qui sait, quand il y a une forte demande et des priorités à accorder, tenir un langage clair et net ;

— qui sait se réjouir d'une acceptation et ne pas se froisser d'un refus ;

— qui sait qu'elle a la chance de faire ce métier et la malchance d'être coincée — j'exagère à peine — entre un éditeur jamais content, des auteurs angoissés et insupportables, des journalistes névrosés du *scoop* et des critiques dédaigneux.

La présence sur le plateau de la dernière émission de trois attachées de presse, Françoise Lebert (Robert Laffont), Monique Mayaud (Grasset), Paule Neuvéglise (Gallimard), aujourd'hui à la retraite, avec qui j'avais utilement et agréablement travaillé, était un hommage reconnaissant à la profession.

B

Bourgnon

À la fin de la dernière émission, quand j'ai présenté aux téléspectateurs Anne-Marie Bourgnon, les écrivains l'ont spontanément applaudie. Fort et longuement. Ainsi lui était publiquement manifestée la reconnaissance pour le travail considérable qu'elle a fait à mes côtés, d'abord à « Ouvrez les guillemets », puis à Apostrophes. Sa popularité auprès des éditeurs et de leurs attachées de presse est exceptionnelle, parce que, dans un milieu vite énervé, où le téléphone est plus qu'un moyen de communiquer, d'en imposer et de râler, elle reste, quoi qu'il arrive, attentive, patiente, courtoise et souriante. À quoi s'ajoutent ses qualités professionnelles : culture, précision, disponibilité, discrétion, etc.

Intermédiaire entre l'édition et moi, c'est elle qui recevait, en plus des informations, les doléances, les plaintes, les confidences. Elle en faisait le tri et me transmettait l'essentiel le soir, à son dernier appel téléphonique. Mon bouclier, ma ligne Maginot, mon Attali, elle vivait dans le tumulte du bureau, de 10 à 20 h, pendant que chez moi, pépère, tranquille, je lisais.

S'il existait un 7 d'or de la meilleure assistante, il est sûr qu'Anne-Marie Bourgnon l'aurait gagné.

Bukowski

La prestation avinée de Charles Bukowski à Apostrophes, le 22 septembre 1978, fit un joli scandale. Loin d'être représentative des sept cent vingt-trois autres émissions, c'est pourtant celle-ci dont les abonnés du vendredi soir se souviennent le mieux. Au vrai, c'est parce qu'elle est atypique qu'ils la citent spontanément. Je sens même parfois percer ce reproche : « Pourquoi n'en avez-vous pas fait d'autres aussi folles, amusantes et peu convenables ? »

La réponse est simple : parce qu'il n'y a qu'un

Bukowski. L'auteur des *Contes de la folie ordinaire* et des *Mémoires d'un vieux dégueulasse* est un stratège de la provocation. Intenable dans sa vie comme dans son écriture, comment ne le serait-il pas quand il se donne en spectacle ? Après son interview (en traduction simultanée) qui dura à peu près vingt minutes, il se désintéressa des autres invités et entreprit, avec succès, de siffler au goulot les trois bouteilles de vin blanc qu'il avait demandées — c'était un sancerre d'une bonne année. La tête renversée, on ne pouvait pas dire qu'il buvait, encore moins qu'il dégustait. Il vidait le contenu des bouteilles dans son corps béant. Le liquide ne marquait pas d'arrêt à hauteur de sa bouche ; aspiré par la pesanteur il tombait dans ses ténèbres intérieures. C'était fascinant. Et inquiétant, car l'émission était encore loin de son terme quand il émit des borborygmes qui gênaient les autres. D'où le fameux « Ta gueule, Bukowski ! » que lui lança Cavanna auquel cela fut longtemps reproché, comme s'il avait censuré Bukowski, alors que c'était bien celui-ci qui entravait de plus en plus le cours de la conversation. Tout d'un coup, il se pencha devant lui et tendit une main vers les cuisses de Catherine Paysan. Il dut les toucher car, suffoquée, elle se leva et, tirant sur sa jupe, s'écria : « Oh ! bien ça, c'est le pompon ! » Tandis que l'assistance s'esclaffait.

Sous les projecteurs, le sancerre faisait son effet. De plus en plus vagissant, éructant, Bukowski se tortillait sur son siège. Je me suis alors rappelé qu'un jour, aux États-Unis, il avait volontairement vomi sur le micro d'une radio. Et s'il faisait de même devant mes caméras ? Terrorisé, je continuais de poser des questions au docteur Ferdière et à Cavanna, tout en surveillant Bukowski, prêt à bondir pour l'empêcher de mettre ses doigts dans sa bouche.

Mais il fit signe à sa femme et à son éditeur qu'il était hors d'état de continuer et qu'il voulait partir. On l'aida à se lever et à marcher. Revoyant l'émission longtemps après, je me suis aperçu que, au lieu de lui dire « Bye bye ! », je lui ai lancé un « Ciao ! » bizarre et soulagé.

Dès le lendemain, la presse me tombait dessus. Pour les uns, je n'aurais jamais dû, surtout en direct, inviter un ivrogne qui doit sa notoriété, non à ses talents d'écrivain, mais à la grossièreté de sa vie et de son langage ; pour les autres, *Libération* notamment, j'avais, faute impardonnable, chassé d'une émission littéraire un authentique écrivain. Que je n'aie pas retenu Bukowski et que j'aie été content de le voir partir, c'est évident. Mais jamais je ne l'ai expulsé, comme certains continuent, de bonne ou de mauvaise foi, à le croire.

Le courrier fut à la mesure du scandale. Je n'avais pas le droit de montrer un homme en train de se saouler — surtout dans une émission littéraire, donc honnête, digne, respectable, recommandée aux élèves des lycées et collèges. Pour la majorité des correspondants, le spectacle était d'autant plus nocif et insupportable que le poivrot était écrivain (entendez par là que c'eût été un ouvrier, un boucher ou un notaire, le mal eût été moins grand). Certains, tout en me reprochant mon laxisme, craignaient que je ne fusse renvoyé d'Antenne 2, étaient même convaincus que mes jours étaient comptés et joignaient à leurs lettres des pétitions signées de plusieurs dizaines de personnes, demandant à la direction de la chaîne de me maintenir sa confiance... Il y eut aussi, beaucoup moins nombreuses, des lettres pour regretter le départ de Charles Bukowski avant l'heure. Elles ne provenaient pas toutes des régions viticoles.

C

Cabu

Cohen

La récente parution d'*Albert Cohen, le seigneur* (Grasset), de Gérard Valbert, m'a appris que le succès populaire de l'émission qui lui avait été consacrée le 23 décembre 1977 avait donné « l'envie et la force » à Cohen d'écrire un dernier livre. Il parut sous le titre *Carnets 1978*. Apostrophes avait été conçue pour encourager la lecture mais pas l'écriture. Dans le cas de Cohen, je m'en réjouis.

Lors de la publication de *Belle du Seigneur*, en mai 1968, j'avais eu l'occasion de déjeuner avec l'auteur, chez Léone Nora, alors attachée de presse des éditions Gallimard. Une seule condition à cette rencontre : n'en rien rapporter. L'ermite genevois redoutait alors les journalistes et n'accordait que chichement des entretiens.

Un jour de 1977, au cours d'une conversation avec Bernard de Fallois, je lui dis combien j'admirais les livres de Cohen et combien je regrettais son silence. L'éditeur — qui n'était cependant pas l'éditeur de Cohen — s'ouvrit à Gérard Valbert, critique littéraire à Radio-Lausanne et ami et confident de Cohen, de mon désir de consacrer à celui-ci toute une Apostrophes. Le souvenir d'un repas, pendant lequel j'avais parlé avec chaleur de Solal et d'Ariane, joint à une plaidoirie habile de Gérard Valbert, emporta la décision. Et puis ma proposition tombait bien : la carrière d'écrivain d'Albert Cohen a été une succession de périodes de gloire et d'oubli, et sa notoriété, huit ans après la publication des *Valeureux*, était déclinante.

L'émission eut un tel succès que non seulement *Belle du Seigneur* fit la conquête de dizaines de milliers de nouveaux lecteurs, mais Albert Cohen, ensuite, ouvrit volontiers sa porte aux nombreux verrous à des journalistes heureux comme moi d'approcher enfin celui qui ne quittait jamais le dernier étage du 7 de l'avenue Krieg. « À chacune de nos rencontres, écrit Gérard Valbert, la revue des visites des confrères me valait des comptes rendus pleins de saveur. Recevant de plus en plus de monde, Albert Cohen devenait l'analyste le plus malicieux des médias. » Le comble pour un misanthrope !

Avec sa robe de chambre en soie, ornée d'une pochette blanche et s'ouvrant sur un maillot de corps, son chapelet de santal, son monocle, les cigarettes qu'il portait à sa bouche avec une élégance orientale et sur lesquelles il tirait des bouffées voluptueuses, ses mots si bien choisis — il n'écrivait pas ses livres, il les dictait —, ses talents de conteur et de comédien, Albert Cohen était à lui seul un spectacle fascinant. Quand je voulus lire un extrait de *Belle du Seigneur* — sur les débuts si beaux et déjà si angoissés de la passion d'Ariane pour Solal —, il me supplia : « Oh ! j'aimerais le lire, moi. » Et il lut le texte avec une sensuelle jubilation.

Il était ravi que l'émission fût ponctuée de trois témoignages enregistrés à Paris dans lesquels François Mitterrand, le cardinal Marty et Félicien Marceau lui disaient leur admiration. Ils faisaient partie d'un comité qui, quelques années auparavant, avait présenté à l'académie Nobel la candidature d'Albert Cohen. Le Nobel de littérature ? Cohen en rêvait. Quelle consécration pour le petit Juif de Corfou ! Il est probable que c'est aussi dans cet espoir qu'il avait accepté la médiatisation de ses dernières années. Mais comment aurait-il pu accéder à la récompense suprême alors que *Belle du Seigneur* n'était même pas traduit en anglais ? Il ne l'est toujours pas.

D

Debray

L'« affaire Debray ». Octobre 1982. Quel tintamarre ! J'ai sous les yeux le volumineux dossier de presse de l'affaire : avec le recul du temps, c'est à n'y pas croire ! Déclaration de François Mitterrand qui désavoue courtoisement son conseiller dans ses attaques contre Apostrophes. Interpellation à l'Assemblée nationale de Georges Fillioud, ministre de la Communication, qui n'en peut mais, par un

Robert-André Vivien déchaîné. Communiqué mou et tardif de la Haute Autorité de l'audiovisuel. Et d'innombrables prises de position d'écrivains, de journalistes et d'éditeurs toutes en faveur du « gentil Pivot » menacé par le « méchant Debray ». *Le Canard enchaîné* y va même de ses deux « oreilles » : « Régis Debray : Cuba si... Pivot no... » Ce n'était pas la première fois que Régis Debray argumentait contre Apostrophes. Il l'avait fait trois années auparavant dans *Le Pouvoir intellectuel en France* et, comme j'aime la bagarre, j'avais répondu dans *Le Matin* à des accusations que je jugeais élitistes, fumeuses ou diffamatoires.

Mais enfin c'était bien son droit de critiquer l'émission et ce qu'elle instituait dans le commerce de la pensée et des livres. Sa nouvelle diatribe, trois ans après, n'aurait pas rencontré beaucoup d'écho si, la veille, il n'avait été nommé conseiller du président de la République pour les Affaires culturelles. Faite à l'étranger, au Canada, devant des écrivains et, malheureusement pour lui, devant un journaliste de l'A.F.P., la déclaration prenait un tour officiel et faisait scandale.

C'était un samedi, à l'heure du déjeuner. Je jouais au tennis quand on est venu me dire que j'étais appelé de toute urgence au téléphone. C'était ma femme. « Les radios te cher-

chent... Les journaux aussi... Régis Debray
t'aurait accusé d'être un dictateur... Tout le
monde attend ta réponse... Le téléphone n'arrête pas... » J'ai quand même pris le temps de
finir la partie, mais, comme j'avais déjà l'esprit
ailleurs, dans un match où je pressentais qu'il
faudrait monter au filet à bon escient, j'ai
perdu nettement le set.

Mon simple contre Régis Debray, j'allais le
gagner facilement. D'abord parce qu'il com-
mettait quelques fautes de pied et de placement, démentant, par exemple, la rudesse de
ses propos alors qu'ils avaient été enregistrés
et filmés. Ensuite parce que sa volée franchis-
sait les limites : aux accusations de *monopole* et
d'*arbitraire*, il avait ajouté celle de *dictature*, ce
qui dans la bouche de l'ancien guérillero du
maquis bolivien prenait un sens insupportable. D'ailleurs il allait, plus tard, en conve-
nir et le regretter. « *Dictature ?* (...). Celle dont
j'ai tâté m'a enlevé plusieurs années de ma
jeunesse ; "celle" de Pivot fait mes délices
chaque vendredi soir et j'espère bien qu'elle
bercera mes vieux jours. Cette outrance, je
m'en excuse auprès de lui, et en public. Triste
effet d'automatisme verbal, elle m'a échappé
à onze heures du soir, à la fin d'un banquet »
(*Le Monde*, 23 octobre 1982).

Le vendredi 15 octobre, au terme d'une Apostrophes malheureusement ratée — dont le thème «Culture et politique» tombait pourtant pile ! — je diffusais, avec l'accord écrit de Pierre Desgraupes, l'enregistrement, image et son, des propos de Régis Debray et leur opposais mon droit de réponse. En voici un extrait : « (...) Ce que Régis Debray appelle mon arbitraire, c'est tout simplement la liberté de curiosité, de jugement et de parole d'un journaliste qui s'efforce d'être sans parti pris et sans prétention. Enfin, je n'admets pas que ce mot épouvantable de dictature qualifie ce qui n'est que le libre choix des téléspectateurs et des amateurs de lecture. Il n'est pas bon qu'un philosophe, intellectuel de gauche et conseiller de l'Élysée, croie que les publics sont des choses molles et facilement influençables... »

L'«affaire Debray» a fait plus pour la réputation d'Apostrophes — notamment à l'étranger — et pour la notoriété de son animateur que les plus beaux *scoops* de l'émission. Combien de confrères de la télévision m'ont dit ensuite, en riant, qu'ils aimeraient bien être attaqués par un personnage officiel de l'Élysée, de préférence célèbre ?

Le plus étonnant de cette histoire rocambolesque, c'est qu'elle a prolongé l'existence d'Apostrophes de sept ans et demi ! En effet, au retour des vacances 1982, j'avais annoncé à Pierre Desgraupes que, fatigué de lire, j'arrêterais l'émission à la fin de l'année. Le patron d'Antenne 2 m'a appelé, sitôt la tempête apaisée, pour me faire remarquer que, si je stoppais, on ne manquerait pas de dire que j'avais cédé au pouvoir. Je continuai donc, et l'appétit de lire revint...

Trois ans après notre match de tennis, Régis Debray publia *Comète, ma comète*. Je l'invitai et il accepta de participer à Apostrophes (où il avait paru en 1975 pour *L'Indésirable*). Je tiens sa décision, qui ne devait pas être facile à prendre, pour élégante et courageuse.

Nous nous étions revus entre-temps au déjeuner annuel organisé par Tom Bishop pour ses amis de New York University. Tout en gravissant l'escalier de la maison France-Amérique, je concoctai une phrase amusante de réconciliation. « Le Québec nous a séparés, lui dis-je en lui serrant la main, l'Amérique nous réunit. » Dans son livre de souvenirs *Le Passeur d'océan*, Tom Bishop attribue la phrase à Régis Debray. Décidément...

Dernière

C'est pour être agréable à Michel Drucker que la dernière émission d'Apostrophes a eu lieu le 22 juin 1990, et non le 29 comme il eût été normal. La soirée du samedi 30 étant occupée par un match de football de la Coupe du Monde, l'animateur de Champs-Élysées ne savait pas où caser son émission spéciale consacrée au départ du Tour de France. Coup de téléphone pour me demander de lui céder mon ultime vendredi. J'ai accepté, mais pas de gaieté de cœur, ne serait-ce que parce que je devrais me contenter de sept cent vingt-quatre émissions, et que je n'atteindrais pas le chiffre rond et magique de sept cent vingt-cinq (cinq est mon chiffre porte-bonheur). Ma réponse eût-elle été différente si j'avais su, à l'époque, que Michel Drucker allait quitter Antenne 2 pour TF 1 et que, pour le coup, ce serait le vendredi 29 juin sa dernière émission à lui ? Je ne sais pas. Mais mon accord eût été certainement plus difficile à obtenir.

Émission, en direct bien sûr, exceptionnelle par son horaire (20 h 40), par sa durée (deux heures vingt minutes), par son espace (tout le plateau du studio 40), par son décor spécial (Michel Millecamps), par le nombre d'invités (quatre-vingts écrivains choisis parmi les cent quarante ayant été conviés au moins trois fois à Apostrophes ; pour des raisons impératives de sécurité, je ne pouvais pas rassembler les cent quarante), par son coût (un million quatre cent quatre-vingt mille francs, au lieu des cent cinquante mille habituels), la dernière bénéficiait d'un joli avantage et pouvait tomber dans une grossière erreur.

Le joli avantage, c'était que, hormis les rediffusions de quelques tête-à-tête à la mort de l'écrivain (Simenon, Yourcenar, Dumézil, etc.), je n'avais jamais puisé dans la mémoire d'Apostrophes. Aujourd'hui, toute émission régulière propose, avant ou pendant les vacances, un ou plusieurs puzzles de ses meilleurs moments de l'année *(« best of » in good french)*. Comme je ne l'avais jamais fait, le champ d'investigation était immense et le coefficient de curiosité très fort. Mais les soixante-dix minutes de morceaux choisis — la moitié de l'émission — ont coûté beaucoup de temps et d'efforts à Françoise Chadaillac qui les a tirées des archives de l'I.N.A. (Georges Fillioud nous a facilité la tâche, mais près de 15 % des émissions ont disparu ou sont inutilisables, parce que dans un mauvais état de conservation) et à Jean Cazenave qui a monté l'ensemble en séquences thématiques bien rythmées.

L'erreur grossière qui menaçait la dernière, c'était l'autocélébration. Après le déluge d'articles, souvent très flatteurs, parus dans les quotidiens et les hebdos — il y avait autour de la mort annoncée d'Apostrophes une vraie émotion qui m'a autant touché que la disparition même de l'émission —, le risque eût été de continuer dans le même registre. J'ai évité tout dérapage en étant très directif avec les écrivains invités. Soit ils étaient priés d'apporter un bref commentaire sur les images d'archives, sur leur prestation ou celle de disparus, soit c'était moi qui évoquais quelques souvenirs, que j'avais choisis amusants. Pour que les quatre-vingts écrivains prononcent chacun au moins une phrase, je leur avais posé à tous la même question : « De tous les mots de la langue française, quel est celui que, pour quelque raison que ce soit, vous préférez ? » Un seul mot interdit : *apostrophe*. Je ne pouvais imaginer que Jean Dutourd élirait le substantif *pivot*, ce qui me plongea pendant quinze secondes dans l'embarras.

À la fin de l'émission, j'ai rendu hommage à tous ceux qui ont collaboré à Apostrophes, et comme, à ce moment-là, j'étais le seul à disposer d'un micro, Jean-Luc Leridon n'eut pas à filmer l'initiative, qui eût été maladroite, de quelqu'un désirant me remercier. Je crois sincèrement que cette dernière a été intéressante à travers les documents d'archives, drôle grâce aux dessins de Cabu et Wolinski, et digne par le comportement général. Michel Polac a cependant jugé l'émission «honteuse», ajoutant dans *VSD* : «C'était de l'autocongratulation conventionnelle.» Ça m'a fait rire, car je me suis rappelé la centième émission de «Droit de réponse», au cours de laquelle Polac, tel un évêque, saluait onctueusement ses fidèles rassemblés dans le transept, qui l'applaudissaient devant un gros gâteau.

Antenne 2 avait bien fait les choses. Une tente dressée dans la cour accueillait plusieurs centaines de professionnels du livre, que j'ai rejoints après l'émission. J'y avais aussi convié un homme dont j'avais reçu une lettre quelques semaines auparavant, qui avait été mon pion au collège, quand j'avais onze ou douze ans, et à qui je confiais mes ambitions de footballeur en herbe. Pendant que des photographes me harcelaient, nous avons évoqué des souvenirs très lointains. Alors, j'ai pensé à ma mère, décédée quelques mois plus tôt, et j'ai souri en me rappelant ce titre de journal : «Ne dites pas à sa mère que Pivot est l'animateur d'Apostrophes, elle le croit ailier droit à Saint-Étienne.»

Duras

Pendant les vacances d'été de 1984, j'avais lu sur épreuves *L'Amant*. J'aimais, j'aimais.

Jérôme Lindon, son éditeur, m'avait dit que Marguerite Duras pourrait peut-être donner son accord pour un passage à Apostrophes, mais ce ne serait pas facile, il fallait être patient. J'étais d'une impatience de chien de chasse. Car, depuis « Lectures pour tous », l'avait-on revue à la télévision ?

J'avais proposé le *nec plus ultra* : l'entretien tête-à-tête à son domicile. Qu'on pouvait enregistrer pendant le courant du mois d'août pour une diffusion dans les premiers jours de septembre, au moment de la sortie de *L'Amant*. Mais le temps passait, et Marguerite tergiversait, ne se résolvait pas à sauter dans la marelle télévisée. Je lisais ou relisais des vieux Duras, j'annotais, je mettais en fiches, je préparais avec gourmandise une émission qui n'aurait peut-être pas lieu. Le livre paraît. Succès foudroyant. Est-ce cet enthousiasme de la critique et de la librairie qui l'a finalement décidée à accepter Apostrophes ?

Mais il était trop tard pour un enregistrement chez elle. Je lui ai donc proposé — ce qui était beaucoup plus risqué, car je ne la connaissais pas et, fidèle à mes principes, je ne la verrais pas avant — un tête-à-tête en direct dans le studio. Cette solution lui a plu finalement davantage, à cause du risque, je crois.

Pour beaucoup de téléspectateurs, surtout les

plus jeunes, ce fut une heureuse découverte. Le ton Duras, le rythme Duras, sa manière bien à elle d'avancer par phrases courtes, pointues, imagées, et les fameux silences Duras auxquels j'éprouvais quelques difficultés à m'habituer pendant le premier quart d'heure. J'étais ce soir-là affligé d'un énorme rhume de cerveau, comme cela m'est souvent arrivé dans les grandes occasions, pour la visite à Soljenitsyne par exemple. Mystérieusement, je n'ai pas eu à sortir un mouchoir pendant toute l'émission. Mais, dès qu'elle a été terminée, à peine avais-je dit : «Bonsoir à tous, à la semaine prochaine», que, digues rompues, toutes les ouvertures de ma pauvre tête coulaient ou grondaient... Les comédiens ont, paraît-il, l'habitude de ce genre de blocage psychosomatique dont la fin est ajustée à celle de la représentation.

Le triomphe de *L'Amant* — prix Goncourt 1984 — et l'impact considérable de l'émission ont fait passer Marguerite Duras du silence à une médiatisation généreuse et brouillonne. On avait pu observer, à un degré moindre, le même effet sur Albert Cohen. Je ne suis pas sûr que, au cours des trois années qui ont suivi, la propagation de son image et la multiplication de ses interventions, parfois aventurées (chronique sur l'affaire du petit Grégory, dialogue avec Michel Platini, etc.), ne l'aient pas atteinte dans son prestige (il est possible qu'elle s'en fiche). Il aurait fallu à côté d'elle quelqu'un pour diriger sa communication ! Le comble pour cette femme pendant si longtemps lointaine et secrète.

E

Étiemble

Chaque fois que je lis et que j'entends les mots passés dans le langage ordinaire des professionnels de la télévision : *talk-show, prime time* et *best of,* je pense à Étiemble, auteur de *Parlez-vous franglais ?* Notre tête-à-tête a été enregistré chez lui, dans une sorte de grange immense, très froide, tapissée, carrelée, recouverte de dossiers et de livres de référence. Combien de dizaines de milliers d'heures de travail gisaient sur ces murs, sur cette table où il avait fallu pousser et entasser la culture un peu plus loin, pour faire de la place ? Étiemble se lève et se couche tôt, de sorte qu'il ne voit pas à la télévision ces émissions de vacances où l'on propose des morceaux choisis de l'année et que l'on intitulera bientôt : « le best of des talk-shows du prime time ». Des écrivains comme Étiemble ou Yves Berger, qui ont une maîtrise parfaite de l'anglais, emploient un français impeccable que ne pollue aucun de ces mots importés pour faire chic.

F

Fonda

Je suis tombé fou amoureux de Jane Fonda pendant l'émission. « Coup de foudre en direct de l'animateur pour son invitée », aurait pu titrer, le lendemain, la presse populaire. Car il était patent que, dès qu'elle ouvrit la bouche, je fus sous le charme de la célèbre actrice américaine. Séduit, subjugué, enveloppé, paralysé, et pourtant je ressentais en moi une invincible et délicieuse ardeur à lui parler, à lui poser des questions, à la mettre en valeur — ce dont elle n'avait nul besoin, car elle était naturellement, sans effort, intelligente, drôle, astucieuse, inattendue, profonde — bref, géniale. Plus belle qu'elle ne l'avait jamais été — avec, au coin des yeux, deux ou trois rides minuscules (enfants, chagrins d'amour, Viêt-nam, défense des opprimés, luttes écologiques, etc.) qui ajoutaient de l'émotion à l'éclat rieur de son visage — Jane parlait, et parle toujours, un français excellent que le son si particulier de sa voix et son accent américain rendent irrésistible.

Comment feindre, dites-moi, un état normal d'attention sympathique quand la femme qui est assise à un mètre de vous ne produit sur son visage, dans ses gestes, dans sa conversation, dans tout ce qui vient d'elle, que du ravissement ? En prêtant beaucoup moins d'attention aux autres invités qu'à Jane Fonda, j'ai frôlé ce soir-là, je l'avoue, la faute professionnelle.

Quelques semaines après, j'ai reçu des États-Unis une petite lettre manuscrite de Jane à laquelle elle avait joint l'article publié dans le *New York Times* à l'occasion de la cinq centième émission d'Apostrophes.

G

Giscard d'Estaing

Son goût pour Maupassant et Flaubert étant connu, j'avais demandé à Valéry Giscard d'Estaing, alors qu'il était ministre des Finances et que je faisais « Ouvrez les guillemets », s'il accepterait de venir à l'émission pour y parler de l'un ou de l'autre, ou des deux, à sa convenance. Il avait choisi Maupassant. On en était là quand la mort de Georges Pompidou l'avait propulsé dans la course à l'Élysée. Invité à R.T.L. avec d'autres journalistes pour poser des questions au candidat — c'est dans cette émission que Françoise Giroud lui avait demandé le prix du ticket de métro —, j'avais évidemment profité des circonstances pour m'informer, en public, auprès de V.G.E., des suites qu'il donnerait à la promesse qu'il m'avait faite, au cas où il deviendrait président de la République. Il avait répondu que, élu, il entendait continuer d'être ce qu'il est, de se comporter comme il se comportait avant, et que le Président honorerait donc la promesse du ministre.

Plusieurs millions d'auditeurs avaient entendu ma question et sa réponse. Pourtant, quand, cinq ans plus tard — chaque année je passais un coup de fil au service de presse de l'Élysée pour rappeler que... —, j'obtins l'accord du Président pour une émission d'Apostrophes, en direct de l'Élysée, sur Maupassant, je fus moins crédité d'un bon « coup » journalistique qu'accusé de servilité à l'égard du « monarque ». On retenait plus de Giscard son habileté à occuper les médias que sa fidélité à une parole donnée. Il est vrai qu'il n'était pas dans une situation politique florissante. Pour certains, particulièrement intolérants, j'étais celui qui volait à son secours et, par le biais de la littérature, allait lui procurer l'oxygène salvateur. Que l'émission eût lieu le 27 juillet (1979) ; que j'aie refusé d'avancer l'émission à 20 h 30, comme le souhaitait la direction d'Antenne 2 ; qu'un président en exercice consacrât une de ses soirées aux livres et prît le risque de s'aventurer dans un domaine qui n'était pas le sien et où son concurrent, François Mitterrand, avait fourni les preuves de sa compétence (lire ci-dessous l'article « Mitterrand »), rien n'y faisait. Il y avait trucage politique.

Le Monde fut particulièrement vindicatif. Après un article ironique de Bertrand Poirot-Delpech sur le prurit littéraire de Giscard (« Ah ! être écrivain... »), il y eut des « libres propos d'un homme très mécontent », Pierre Boutang, qui terminait ainsi sa bastonnade : « Si vous (Giscard) aimez tellement la littérature, allez-vous-en ! » Il y eut aussi, toujours dans *Le Monde*, une longue lettre coléreuse d'un lecteur, M. Jean-Michel Renaud, qui me plaignait « d'être réduit à ces complaisances de courtisans ». J'écrivis au directeur du journal pour obtenir l'adresse de ce supposé lecteur et lui répondre. J'attends toujours...

En dehors du fait qu'à l'hôtel Marigny, où finalement eut lieu l'émission, il faisait une chaleur de fournil, cette Apostrophes fut agréable à diriger. On peut contester la lecture aux teintes pastel que Valéry Giscard d'Estaing fit de Maupassant, si noir, si violent, mais il réussit à faire partager sa passion. Preuve en est que Maupassant fut l'écrivain le plus acheté et le plus lu durant les vacances 1979. Il est probable que les interlocuteurs du Président — Armand Lanoux, Alexandre Astruc et Louis Forestier, qui venait de publier les *Contes et nouvelles* dans la Pléiade — auraient parlé de Maupassant avec plus d'allant et de décontraction dans un autre contexte. S'ils furent impressionnés, c'est par ce que V.G.E. représentait, et non par son comportement qui, avant, pendant et après l'émission, fut toujours courtois, attentif, presque familier.

N'empêche que je ne garde pas un bon souvenir de cette Apostrophes. Même si, comme je l'espérais, Maupassant en est sorti gagnant. Les suspicions politiques avaient gâché mon plaisir d'accueillir pour la première fois dans une émission littéraire un président de la République française en exercice.

H

Héros

En quinze ans et demi, combien de fois ai-
je employé l'expression «héros de votre
roman»? Variante : «le personnage principal
de votre roman...» Mais héros est plus mystérieux, plus cascadeur, bref plus romanesque.
Que de héros, Seigneur, ai-je connus, fréquentés, consommés, oubliés en sept cents et
quelques Apostrophes? Que de héros d'une
semaine, de reines d'un jour, j'ai accompa-
gnés pendant quelques heures de lecture,
dont j'ai partagé les aventures, les chagrins et
les plaisirs, et qui sont sortis de mon existence
plus vite qu'ils n'y étaient entrés... Héros, il a
vécu ce que vivent les (hé)ros, l'espace d'un
matin — ou d'une émission, le vendredi soir.

I

Incidents

En dehors des facéties bukowskiennes —
racontées plus haut —, il n'y eut qu'un seul

gros incident, les coups de poing, hors antenne, de Georges-Marc Benamou dans les lunettes de Marc-Édouard Nabe. L'émission (15 février 1985) avait pour thème « Les mauvais sentiments » ! Auteur sulfureux d'*Au régal des vermines*, le jeune Nabe — qui se dit lui-même « ambassadeur des écrivains maudits », « Buster Keaton de l'Apocalypse » — se lança, excité par les questions justes et virulentes de Morgan Sportes, dans une violente diatribe contre la démocratie, les Juifs, les Noirs, les Blancs, etc. Parmi les téléspectateurs indignés, Georges-Marc Benamou, futur directeur de *Globe*, alors journaliste au *Quotidien de Paris*. Il sauta dans sa voiture, la rangea à côté de l'avenue Montaigne, franchit aisément le sas de sécurité d'Antenne 2 avec sa carte de presse, fit irruption sur le plateau où, l'émission terminée, dans une atmosphère tendue, les invités se désaltéraient, et se précipita sur Marc-Édouard Nabe... Deux amis de celui-ci ayant riposté, il fallut séparer les belligérants qui s'invectivaient dans un bruit de chaises renversées et de verres (de lunettes et à boire) brisés.

Georges-Marc Benamou : « J'aurais volontiers, il y a quarante ou cinquante ans, cassé la figure au Céline de *Bagatelles pour un massacre*, au Rebatet des *Décombres*, à Brasillach... En aurait-on fait un drame ? S'en serait-on scandalisé comme on a pu, çà et là, se scandaliser de mon geste ? »

Marc-Édouard Nabe : « Lorsque j'ai dit : "Parlons enfin littérature...", c'était de la provocation, je vis tant pour cela... Je voulais vivre un instant littéraire. »

Dix ans auparavant, dans une émission consacrée aux journalistes, Jean-François Chauvel, du *Figaro*, avait voulu se lever, pendant l'émission, pour envoyer une gifle à Jean-François Josselin, du *Nouvel Observateur*. Mais son micro-cravate, faisant office de lasso, l'en avait empêché...

J

Jankélévitch

Vladimir Jankélévitch remarquait que, dans les semaines qui ont suivi l'émission (18 janvier 1980) dont il était le principal invité, il avait vendu presque autant de livres que durant toute sa vie. En trois volumes, *Le Je-ne-sais-quoi et le Presque-rien* étant devenu un succès inespéré, farfelu, de librairie. Il n'y avait pas de tromperie sur la marchandise : les gens savaient que c'était de la philo, beaucoup ne pourraient pas lire ce qu'ils emportaient, mais ils achetaient quand même. C'est avec Jankélévitch que j'ai compris que le sentiment de *reconnaissance* peut, exceptionnellement, favoriser l'achat d'un livre. Certains téléspectateurs étaient *reconnaissants* envers Jankélévitch d'être ce vieux philosophe si intelligent, si modeste, si ferme dans ses idées, si séduisant avec sa mèche blanche qui lui barrait le front. Il leur avait fait passer une heure éblouissante, en eux vibrait je ne sais quoi de gratitude et presque rien d'amour pour un grand philosophe, mais suffisamment pour les pousser dans une librairie et, *par reconnaissance*, se procurer un livre qu'ils ne liraient pas, mais qu'ils garderaient avec fierté comme un bon souvenir, comme un talisman, comme une preuve permanente, accessible aux yeux et à la main, de la qualité des hommes.

Je peux citer deux autres livres, illisibles pour la plupart des lecteurs et qui ont été achetés en grand nombre *par reconnaissance*, après la prestation télévisée de leurs auteurs : *L'Homme de paroles*, du linguiste Claude Hagège, et *Pour l'honneur de l'esprit humain*, du mathématicien Jean Dieudonné.

Jullian

Fondateur et premier président d'Antenne 2, éditeur, écrivain, scénariste, dialoguiste, journaliste, directeur de revue, chroniqueur, encyclopédiste, producteur, animateur, conteur, aviateur, incitateur, excitateur, ébouriffeur, chahuteur, cascadeur, appareilleur, déconneur, passeur, poète. Et auteur, à Apostrophes, de la plus belle apostrophe spontanée : « On se croit libre quand on donne plus d'ordres qu'on en reçoit. »

K

Kissinger

Henry Kissinger, depuis qu'il vit de ses livres et de ses conférences, ne dit pas un mot à la télévision américaine ou japonaise sans être abondamment rétribué. Invité d'Apostrophes pour ses Mémoires (26 octobre 1979), il demanda un cachet dont je ne me souviens plus du montant, qui était adapté à la modestie de la télévision française, et qui restait cependant assez coquet. Coquet ou pas, il était hors de question de payer un auteur, fût-il Kissinger, dont la prestation dans une émission spécialisée assurait la promotion du livre. Dans certains pays, le Canada, la Suisse, par exemple, les magazines littéraires de télévision rétribuent tous leurs invités. Mais, en France, depuis «Lectures pour tous» qui en a établi l'usage, les écrivains ne trouvent de dédommagement que dans l'espoir d'une augmentation de leurs droits d'auteur par l'accroissement de leurs ventes.

Je refusai donc de donner un cachet à Kissinger. Il fit annoncer son refus de participer à l'émission. Fayard, son éditeur français, était bien embêté. Comment finit-il par lui arracher son accord ? Pas en lui versant l'argent qu'il attendait de la télévision, mais à force de négociations avec l'ancien négociateur américain. Je n'étais pas mécontent, en restant ferme sur les principes, d'avoir fait céder Henry Kissinger...

L

Lapsus

Plutôt étourdi de nature, j'ai, bien sûr, en sept cents et quelques émissions, outre quelques erreurs dues à l'ignorance, commis des fautes d'inattention. Noms écorchés, prénoms changés, titres soudain oubliés... Les risques du direct, les anicroches de la spontanéité. Les lapsus ont été rares. L'un, cependant, très fâcheux. J'étais allé assister en Angleterre, à Ipswich, à un match de coupe d'Europe de football au terme duquel Saint-Étienne avait été éliminée. Quarante-huit heures après, à Apostrophes, on parle du nazisme, du génocide, et je m'entends encore, avec épouvante, poser une question, non sur Auschwitz, mais « sur le camp d'Ips... ». Je n'ai pas prononcé le nom entièrement, mais le lapsus était flagrant. J'ai reçu une dizaine de lettres indignées, la moitié anonymes, où j'étais accusé d'antisémitisme.

J'ai une mauvaise mémoire des noms et des visages. Être connu et ne pas reconnaître blesse la personne qui se sent dédaignée. D'autant qu'on ne peut pas croire que celui qui fait Apostrophes n'est pas doté d'une mémoire fabuleuse. Si elle n'a pas fonctionné, c'est, pense-t-on, par négligence ou mépris. Je demande qu'on m'excuse, je dis que je suis la première victime de cette difficulté à mettre un nom sur une tête, etc. Les plus gentils s'exclament alors : « Il est vrai qu'à la télévision vous voyez tellement de monde ! »

Un dimanche soir, à l'aéroport d'Heathrow, un homme s'avance et me salue avec un large sourire. À ma réaction embarrassée il comprend que je ne le reconnais pas. Il se présente et ajoute : « J'étais l'un de vos invités, à Apostrophes, avant-hier soir... » Qu'on imagine ma confusion. Et lui son humiliation. À ma décharge, il avait été très pâle. Sauf à le blesser encore plus, cela ne pouvait me servir d'excuse...

Le Carré

En septembre 1987, un jury italien d'écrivains et de critiques avait eu la bonté de me décerner un « mérite littéraire », distinction attribuée en même temps que le prix Malaparte à John Le Carré cette année-là.

Arrivé en retard, à Capri, le samedi soir, au dîner officiel qui réunissait quelque deux à trois cents personnalités de l'édition, du journalisme et du monde, je retirai prestement ma cravate et l'enfouis dans ma poche de veste quand je constatai que tous les hommes, tous, John Le Carré compris, avaient la chemise ouverte.

Le lendemain matin, réunion à l'hôtel de ville pour la remise des récompenses et les discours d'usage. Puisque c'était, semble-t-il, la mode à Capri, je n'ai pas mis de cravate. Horreur ! Tous les hommes, tous, John Le Carré compris, en portaient une. Que n'avais-je laissé celle de la veille dans ma poche !

Dans mes remerciements, une main sur mon col béant, ayant l'impression d'être tout nu, je racontai mes mauvais choix et ma confusion. Je fis remarquer que John Le Carré, lui, ne s'était pas trompé dans le bon usage de la cravate à Capri et que c'est à ces détails qu'on mesure la supériorité de la civilisation britannique. Je dis aussi qu'il y avait beaucoup de malice, et peut-être même d'ironie, dans les faveurs du jury à mon égard : il m'honorait en présence d'un écrivain dont je faisais le siège en vain depuis dix ans, pour qu'il accepte de passer, en direct, à Apostrophes. John Le Carré était donc un de mes échecs patents.

Quand ce fut au tour du mystérieux auteur de *L'espion qui venait du froid* de remercier, il commença par dénouer lentement sa cravate, il l'enleva et, avec son superbe sourire qui a dû faire des ravages chez les agents féminins de l'Intelligence Service et chez les espionnes de l'Est, il me la tendit. Alors que je m'en saisissais, il m'a dit qu'il suffirait à l'avenir de lui présenter sa cravate pour qu'il accepte mon invitation à Apostrophes. Il avait, lui aussi, le col ouvert, mais c'était bien John Le Carré le plus *élégant*...

C'était une cravate de marque française, en soie bleue, parsemée de points rouges. J'en ai eu de plus belles, de plus coûteuses, mais comme j'ai toujours été un lecteur assidu, ébloui, tremblant et stupéfait des romans de John Le Carré, ce fut ma cravate la plus précieuse. Que j'ai toujours. Lorsqu'il vint enfin, à Apostrophes, le 24 novembre 1989, pour *La Maison Russie*, je portais son gage. Dès le début de l'émission qui lui était entièrement consacrée, je racontai notre rencontre à Capri et, retirant sa cravate, la lui remis. C'est la seule Apostrophes que j'ai faite la chemise ouverte. Comme il n'avait pas pratiqué le français depuis longtemps, j'avais proposé à John Le Carré d'avoir recours à une traduction simultanée. Il a refusé. Pendant le mois précédant son Apostrophes, il était allé à l'Alliance française de Londres pour y recevoir des leçons particulières. Au total, trente heures. Une telle conscience professionnelle est admirable. Mais c'est celle d'un écrivain ou d'un agent secret ?

À la fin de l'émission, après avoir répondu, tantôt avec gravité, tantôt avec humour, aux questions pointues de Catherine David, Edward Behr et Philippe Labro, je lui ai demandé s'il avait fait une réponse mensongère. « Oui, m'a-t-il avoué avec son accent enchanteur, une fois. Mais je ne vous dirai pas quand, parce que ce serait un deuxième mensonge. »

Lors du souper spécial, offert par Robert Laffont, qui suivit l'émission, jamais les relations franco-britanniques n'ont été aussi bonnes et amusantes. J'avais remis la cravate de John Le Carré.

Le Clézio

Enfin, Le Clézio vint ! Au sortir d'une longue période où il fuyait tout le monde, y compris lui-même probablement, il accepta un tête-à-tête enregistré dans le salon-bibliothèque de Claude Gallimard. C'était à l'occasion de la publication de *Désert*. Si je retiens dans le bilan d'*Apostrophes* une demi-douzaine de choses heureuses dont je suis fier, il y a sûrement le succès en librairie de ce magnifique, austère et poignant roman auquel l'émission (19 septembre 1980) a contribué d'une manière considérable. Depuis, Le Clézio a son public qui lui est fidèle, même pour des nouvelles.

Le timide J.M.G. L.C. a été vu deux autres fois à *Apostrophes*, alors en acceptant — il se faisait ainsi violence — de converser, en direct, avec d'autres écrivains. Si je me souviens particulièrement de son passage, en mars 1985, pour *Le Chercheur d'or*, c'est que j'étais furibard. Contre la presse. Les journaux, oubliant qu'il avait déjà été mon invité cinq ans auparavant, soulignaient à l'envi son dédain des médias audiovisuels, «son refus de se soumettre au rituel commercial de la littérature» (Pierre Lepape), sa décision de ne pas paraître «devant les micros et les caméras comme tant de médiocres» (Robert Kanters). Or, voilà qu'un mois après la sortie de son livre, il était à Apostrophes. Que croyez-vous qu'il arrivât? Rien! Pas un mot dans la presse. En dehors de la mention des invités dans les programmes, pas une ligne le matin même de l'émission, ni le lendemain. Silence total sur la présence de Le Clézio pendant soixante-quinze minutes à la télévision, en direct. Seul *Télérama*, par son chroniqueur Alain Rémond, a rendu compte de l'événement.

Je me rappelle encore aujourd'hui combien j'étais en colère — réaction peu fréquente chez moi — contre mes confrères. Parce qu'ils en avaient fait des tartines, le matin même de l'émission, sur l'invité de l'émission concurrente : Bernard Tapie au «Jeu de la vérité». Tout pour celui-ci, rien pour celui-là. Les journalistes se seraient-ils déterminés, me demandais-je, sur le critère du chiffre d'affaires ? Dans ce cas, évidemment... Parce qu'à mes yeux, sur tous les autres plans, y compris celui de la beauté et de la séduction, Le Clézio l'emportait sur Tapie. « Depuis quand, me demandais-je encore, le talent d'écrire, la gloire en littérature, ne comptent pour rien, en France, face à la renommée, si justifiée soit-elle, d'un chef d'entreprise ? » Mais ce n'était pas la première fois et ce ne serait pas la dernière qu'une émission, au contenu très littéraire (Le Clézio, Jean Grosjean, René de Ceccatty, Eduardo Galeano), n'intéresserait pas la rubrique de télévision des quotidiens.

Du temps de « Ouvrez les guillemets », j'avais proposé à Le Clézio les moyens de faire un film d'une dizaine de minutes, sur le sujet de son choix, à sa convenance. Il avait accepté. Une petite équipe, conduite par le réalisateur Raymond Meunier, l'avait rejoint à Nice. Pendant deux jours, ils avaient filmé des nuages. Ils se promenaient silencieusement et, de temps en temps, pointant un doigt vers le ciel, J.M.G. L.C. désignait un nuage qu'on mettait aussitôt « dans la boîte ». Le film a été monté et diffusé. C'était beau, mais sobre, fugitif et énigmatique. Ne sont restés jusqu'au bout que ceux qui aimaient beaucoup Le Clézio ou

les nuages — ou ceux qui, comme moi,
aimaient beaucoup et Le Clézio et les nuages.

Leys

Quand elle est fondée, généreuse et qu'elle
s'applique à des choses essentielles, l'indignation est un sentiment sans rival. Peut-être
Simon Leys a-t-il été, dans toute l'histoire
d'Apostrophes, le seul homme vraiment indigné, qui ait laissé éclater son indignation avec
une force exceptionnelle ?
Les livres où il dénonçait les forfaits du
maoïsme avaient été ou ignorés ou méprisés
ou salis. Pendant que beaucoup d'intellectuels européens agitaient le petit livre rouge
et, pâmés, récitaient les poèmes culcul-la-pra-
line et les lapalissades exotiques du Grand
Timonier, Simon Leys enrageait de témoi-
gner, non pas dans le désert, mais dans la
foule compacte et enthousiaste des aveugles,
des sourds et des bavards. Lui disait : Mao
emprisonne, Mao déporte, Mao exécute, Mao
est un tyran, Mao est un monstre, et le chœur
des sinologues du dimanche chantait inlassa-
blement la gloire de Mao Zedong que seuls les
ploucs appelaient encore Mao Tsé-toung.
Certains allaient même sur place, dans un
voyage au retour payé d'un livre, pour vérifier

l'action miraculeuse de l'idéologie maoïste sur l'essor de la liberté et la récolte du riz.

Maria Antonietta Macciocchi a eu la malchance de publier la traduction française de ses *Deux Mille Ans de bonheur* en même temps que Simon Leys était de passage en France pour *La Forêt en feu*. Les réunir (27 mai 1983) était une initiative qui ressortissait plus au bon sens et à l'hygiène qu'au machiavélisme. Dans les jours précédant le choc, les Vᵉ, VIᵉ et VIIᵉ arrondissements s'amusaient à mesurer les chances de l'une, célèbre et pétulante Italienne rompue aux joutes dialecticiennes, et de l'autre, obscur mais pugnace et talentueux sinologue belge, professeur à Canberra sous le nom de Pierre Ryckmans. Il m'a été rapporté que certains avaient essayé, le jour même de l'émission, de calmer la tempête venue d'Australie. Si c'est vrai, ce fut peine perdue. Car, aux yeux de Simon Leys, la Macciocchi représentait beaucoup plus qu'elle-même, elle était à la fois Peyrefitte, Barthes, Sollers, Han Suyin, etc., enfin tous ceux qui, en Occident, s'étaient sans excuse laissé séduire par l'esbroufe criminelle de Mao. Enfin, il les avait tous ensemble devant lui, il les tenait tous, et il n'allait pas laisser passer sa chance de leur dire son *indignation*. Il le fit avec une ironie dévastatrice, de sorte que

Maria Antonietta fut balayée. Mais que faire devant un homme en colère à qui l'Histoire a donné raison?

Dès le lendemain, le livre de l'Italienne, invendable, était retourné par les libraires à son éditeur Grasset. J'avoue aujourd'hui que, si j'étais content que Simon Leys ait eu la possibilité de prendre une éclatante revanche sur ceux qui avaient refusé de le croire, et même de le lire, j'ai eu longtemps mauvaise conscience vis-à-vis de Maria Antonietta Macciocchi qui, par ma faute, avait ramassé une volée, reçu une fessée que d'autres célèbres postérieurs auraient dû en toute justice partager. Mais comme disait Mao : « Rabattons notre suffisance, critiquons sans relâche nos propres défauts, tout comme, chaque jour, nous nous lavons la figure pour rester propres et balayons pour enlever la poussière. »

Livres

Entre les livres et moi, la bataille a été rude. Officiellement, on s'aimait. Il était connu que nous nous rendions mutuellement service : je leur faisais de la publicité et ils me faisaient vivre. *De visu*, nos rapports étaient excellents : je leur ouvrais ma porte avec courtoisie, cordialité et même souvent, avec affection, et ils se laissaient manipuler, ouvrir, casser, lire, sans jamais se rebeller. Pour tout le monde, le livre et moi formions un duo de vieux complices ayant des *caractères* complémentaires.

Mais la vérité était tout autre.

Les livres sont d'implacables envahisseurs. Mine de rien, avec une patience infinie et toujours plus nombreux, ils se rendent maîtres des lieux. Ils ont tôt fait de déborder des bibliothèques où ils sont assignés à résidence. Telles les multitudes d'escargots dans les romans de Patricia Highsmith, ils escaladent les murs, poussent jusqu'aux plafonds, s'installent sur les cheminées, les tables, les guéridons, se fixent dans les encoignures, pénètrent dans les armoires, les commodes et les coffres, et, quand ils demeurent à terre, ils prolifèrent sur la moquette ou sur le carrelage en piles instables et arrogantes.

Aucune pièce n'est interdite aux livres. Aucune ne leur répugne. Ceux qui n'ont pu accéder au salon, au bureau ou à la chambre se contentent des toilettes, de l'office, des couloirs, ou même d'un cagibi sombre dans lequel transitent les pommes de terre, les pots de confitures, le vin cacheté, l'aspirateur et les pelotes de ficelle. Ils cohabitent avec les araignées. Ils ne font pas d'allergie à la poussière. Groupés, serrés les uns contre les autres, ils ont la stabilité et la persévérance des menhirs. Autrefois, les souris les grignotaient. Mais, devant la prolifération des couvertures, à peu près toutes y ont renoncé. Les souris sont la preuve qu'une trop grande accumulation d'imprimé peut décourager.

Au fil du temps, les livres sont devenus de féroces colonisateurs. Ils bouffent sans cesse de l'espace ; et leur voracité se révèle d'autant plus efficace qu'elle est silencieuse et que leurs mouvances lentes et usurpatrices se font sous le couvert rassurant de la culture et avec la bénédiction des professeurs. La vraie ambition des livres est de chasser les hommes des bibliothèques et de leurs maisons et d'en occuper tout le territoire pour une grandiose et solitaire jouissance.

Il y a plus de quinze ans, les livres ont décidé — pourquoi moi ? ai-je une tête de colonisé ? une réputation de citoyen docile ? — de se rendre maîtres de mon appartement et de ma maison de campagne. Alors, sous le prétexte d'une émission de télévision hebdomadaire et d'un magazine mensuel, ils ont commencé de m'envahir. Depuis, il n'est de jour (hormis les dimanches et les jours fériés) qu'ils ne s'introduisent à mon domicile, individuellement ou groupés, apportés par le facteur ou des coursiers, offerts, à ma disposition, serviles.

Mais je savais leurs manigances. Et je me suis défendu. Pour n'être pas submergé, je m'étais imposé la discipline d'en éliminer chaque jour, surtout les dimanches et jours fériés, quand les envahisseurs font la trêve. C'est lâche, je le reconnais, mais devant un péril si grand le respect du code de l'honneur aurait été suicidaire. Près de la porte de sortie, j'en faisais des piles, qui partaient chez des parents, amis, dans des bibliothèques, etc., où ils continuaient leur invasion feutrée et hypocrite.

Impossible, ici, de raconter toutes les ruses des livres pour imposer leur présence. Ils jouent tantôt du cœur (tu aimeras me relire plus tard), tantôt de la raison (tu auras profit à me consulter). D'agrément ou de référence, de plaisir ou de travail, de divertissement ou d'exégèse, ils ont toujours un bon motif pour vouloir rester. Malheur au lecteur trop sentimental ! Malheur à celui qui doute de sa mémoire ! Malheur aux conservateurs ! Malheur aux distraits ! Ils finissent par succomber... Que de fois me suis-je laissé aller au découragement, accablé par leur nombre, et surtout par les airs de nécessité qu'ils se donnent. L'idée vous vient-elle de vous séparer de celui-ci qu'il vous fiche mauvaise conscience. Vous vous sentez accusé de crime prémédité contre l'esprit — ou, si c'est l'œuvre d'une personne que vous connaissez, de crime contre l'amitié ; ou, si c'est un volume inutile mais magnifiquement imprimé et illustré, de crime contre la beauté ; ou, si c'est un roman de débutant au talent incertain, de crime contre l'espérance ; ou, si ce sont les principaux ouvrages d'un académicien décédé, à la postérité aléatoire, de péché contre la charité...

L'un des stratagèmes les plus employés par les livres pour occuper le terrain consiste à se présenter plusieurs fois, sous des couvertures différentes ou avec des variantes. Première édition normale, la même dédicacée, édition au format de poche, réédition avec une préface inédite, édition illustrée, réédition non avouée sous un nouveau titre et sans mention de l'ancien copyright, etc. L'imagination des livres pour s'introduire chez moi était sans limites ; leur culot, monstrueux. Il fallait donc toujours être sur ses gardes. Vigilance permanente.

La chasse aux inutiles exige beaucoup de loisir et d'attention. Certains parvenaient cependant à franchir mes lignes de défense et allaient grossir le camp des dictionnaires superflus, la cohue des encyclopédies jamais ouvertes, la réserve des ouvrages pratiques malcommodes, le village des Mémoires oubliés, le séminaire des pamphlets aphones, le cimetière des anthologies répétitives, etc. Le temps pressait. Il fallait bien lire ! Il fallait bien vivre ! Alors, avec la sourde patience des glissements géologiques, les livres avançaient, s'installaient, s'accumulaient, gagnaient de nouveaux territoires et imposaient même le sentiment que les espaces enlevés leur étaient de toute éternité destinés.

On s'étonnera que pour raconter la saga des plus intelligents des envahisseurs j'emploie le passé. Comme si je ne recevais plus de livres ! Je suis persuadé qu'avec la disparition d'Apostrophes ils vont quelque peu relâcher la pression qu'ils exerçaient sur moi, ils sont probablement un peu découragés de n'avoir pu, après quinze ans d'efforts, m'expulser de l'un, au moins, de mes deux domiciles, ils vont perdre de l'esprit de conquête qui les jetait sur ma sonnette, ils vont rassembler leurs forces sur d'autres cibles...

Mais peut-être ai-je tort d'espérer un relâchement de leur étreinte ? Il faut que je me méfie d'un apparent reflux des livres, qui pourrait être leur ultime ruse.

Livres *(suite)*

Voici quelques questions que vous vous posez sûrement à propos des livres et auxquelles ma vie intime avec eux me permet d'apporter des réponses.

Les livres se reproduisent-ils entre eux ? Oui, bien sûr. Sinon comment expliquer la présence, surtout dans des piles délaissées ou dans des placards dont l'obscurité favorise les audaces, d'ouvrages inconnus ? Qui ne s'est trouvé chez soi avec dans les mains un bouquin dont le nom et le titre n'évoquent aucun souvenir ? Il faut bien alors avoir recours à l'explication par la reproduction. Comment, quand, sous quelles formes, par quels stratagèmes ? D'un naturel fermé, les livres sont, à l'exception des ouvrages libertins illustrés, d'une grande pudeur. J'avoue n'avoir jamais pu les surprendre dans leurs activités génétiques. Aussi faut-il accueillir avec réserve mes hypothèses, même si je les crois fondées sur du sérieux.

D'après moi, des mots, des phrases, des paragraphes, et même des chapitres entiers en ont assez d'appartenir à un livre qui ne leur plaît pas ou dans lequel ils se sentent superflus ou grossièrement utilisés. Ils décident alors de choisir la liberté et de quitter le volume. Aucune phrase n'a jamais voulu abandonner *Madame Bovary* ou le *Voyage au bout de la nuit,* c'est évident. Chaque mot s'y sent bien et indispensable. Quoique les conditions de survie y soient effroyables, aucun mot non plus ne voudra s'échapper de *L'Archipel du goulag*. Mais il est tant de livres où les mots s'ennuient à mourir. Les plus courageux décident, isolés ou en groupe, de se carapater. Et quand, rejoints par les mécontents d'autres ouvrages, ils sont assez nombreux pour composer un nouveau livre où leur existence sera meilleure, leur place plus agréable, leur sens plus affirmé, ils n'hésitent pas à le faire, suivant des processus qui relèvent de l'autocréation et dont je ne connais pas le déroulement. Jusqu'à présent, les résultats, hélas! ne me sont pas apparus bien convaincants.

De ce qui précède on conclura que plus il y a de livres médiocres ou inutiles dans une bibliothèque ou une librairie, plus les risques de reproduction sont élevés. Les chefs-d'œuvre, desquels les mots refusent de s'échapper, sont au contraire sans postérité. D'où ce principe qu'on connaissait mais qui n'avait jamais été démontré : la quantité de livres est inversement proportionnelle à leur qualité.

Les livres ont-ils, comme vous et moi, des humeurs ? Évidemment! Ça se voit, nom d'un chien, une bibliothèque qui vous fait la gueule! Fripés, gris, les livres ont l'air buté. On les dirait tous reliés en plein chagrin. Ils affichent l'arrogance de ceux qui savent tous les secrets du

226

monde et, bien serrés les uns contre les autres, ils méprisent la main qui se tend vers eux et qui va les déranger. D'ailleurs, les jours de bouderie, ils font le gros dos, ils se cachent, ils s'esquivent, ils ne sont pas là où la main les croyait. Elle cherche, déplace, s'énerve et ne trouve pas. Ou, si elle trouve, le livre lui échappe et tombe. Elle s'en veut d'être maladroite alors que c'est lui qui a volontairement chuté. Et, si elle l'ouvre, il va si bien embrouiller ses chapitres et ses pages, accentuer la grisaille de ses caractères et même du papier, qu'elle n'a aucune chance de mettre le doigt sur la citation qu'elle espérait y dénicher, qu'elle avait d'ailleurs soulignée, elle en est sûre, et qu'elle ne trouve pourtant pas, mais pourquoi, mon Dieu?

Que de temps perdu avec les livres quand ils sont de mauvaise humeur!

Au contraire, s'ils sont dans d'excellentes dispositions — ça se remarque tout de suite à leur alignement souple, à la douce lumière qu'ils captent et qui rend séduisants titres, noms d'auteurs et d'éditeurs imprimés sur leurs dos offerts à toutes les curiosités, à leur air de disponibilité guillerette —, s'ils sont bien lunés, les livres facilitent les recherches. On en a même connu qui avaient la gentillesse de s'ouvrir d'eux-mêmes à la page où était soulignée la citation espérée, et d'autres, vraiment aimables, qui livraient spontanément, très vite, deux ou trois aperçus intéressants qu'on ne s'attendait pas à trouver là et dont on allait pouvoir tirer profit.

Quand les livres sont sympas, ils remportent — haut la main — sur toute autre créature le titre du meilleur ami de l'homme.

Les livres sont-ils influencés dans leur comportement par leur contenu ? Non. Il n'est pas de livre sur le suicide qui se soit suicidé, de livre sur les oiseaux qui se soit envolé, de livre sur la bouffe qui devienne obèse (ou s'il l'est c'était de naissance), de livre sur la délinquance qu'il faille éduquer, surveiller et punir, de livre sur le révisionnisme qui, ému, se soit employé à réviser les thèses révisionnistes. Les livres refusent tout engagement. Ils se déclarent innocents de ce qu'on leur fait dire. Jamais ils n'ont une attitude qui serait la conséquence de ce qu'ils sont intellectuellement. Ils sont neutres et sans réaction.

Seuls des mots, des phrases, ainsi que je l'ai expliqué plus haut, peuvent ne pas apprécier la manière dont ils ont été assaisonnés. Les plus courageux ou les plus fâchés quittent le livre pour, avec d'autres exilés, créer un autre livre. Mais ce ne sont là que des réactions individuelles de substantifs, d'adjectifs, de verbes, etc., qui ne modifient pas l'apparence et la teneur de l'ouvrage qu'ils ont déserté et qui reste quant au fond immuable.

Les livres peuvent-ils se mouvoir tout seuls ? Oui. Preuve en est que certains changent eux-mêmes de place sur leur rayonnage, qu'on ne les retrouve pas là où on les avait mis et que leur mouvement trouble l'ordre alphabétique. Ce sont le plus souvent des querelles de voisinage qui expliquent ces déboîtements incongrus. Si les livres ne se tiennent pas pour responsables de ce qu'ils sont, certains n'admettent cependant pas d'être accolés à des volumes notoirement médiocres ou à des œuvres dont les auteurs leur paraissent indignes d'une cohabitation avec le nom imprimé sur leur couverture. Serrés les uns contre les autres, comment les livres n'auraient-ils pas des réactions épidermiques ? Ils peuvent, eux aussi, être les jouets de pulsions regrettables dues aux inégalités sociales ou aux clivages intellectuels.

Par exemple, ayant rangé côte à côte des livres de Marguerite Duras et de Jean Dutourd, j'ai constaté de nombreuses fois sur leur rayonnage une pagaille alphabétique, leurs volumes s'étant fuis et glissés au milieu des bouquins de Duby, de Duhamel, de Dumézil, de Dumas, etc. Et c'était le foutoir quand, après s'être probablement battus, des ouvrages des deux belligérants étaient tombés de la bibliothèque. J'ai ramené l'ordre en intercalant *La Mise en œuvre*, de Dürrenmatt et le *Quatuor d'Alexandrie*, de Durrell, entre les Duras et les Dutourd. Mon conseil : si vous n'avez ni du Dürrenmatt ni du Durrell pour séparer Duras et Dutourd, n'hésitez pas à faire appel au bon Alexandre Dumas, sympathique à tout le monde. Oui, bien sûr, l'alphabet ne place pas Dumas ici, mais si l'on veut la paix dans la littérature, il faut savoir être accommodant avec les lettres.

Il est patent que des livres, qui n'ont été ni prêtés ni volés, disparaissent des bibliothèques et quittent l'appartement ou la maison où ils logent par leurs propres moyens. Ces fugues, assez rares, qui prouvent, s'il en est encore besoin, l'autonomie de mouvement des livres, sont dues soit à de violentes querelles de voisinage — je n'en peux plus, je m'en vais —, soit à des humiliations insupportables. Un livre peut se sentir humilié si personne ne l'ouvre jamais, s'il a été relégué sur un rayonnage inaccessible où le regard de son propriétaire-lecteur ne l'a pas effleuré depuis plusieurs années, si la poussière s'accumule sur lui...

Le Procès-verbal, de J.M.G. Le Clézio, exemplaire dédicacé, a disparu de chez moi. Il a fui. Sans un mot d'explication. Souvent épousseté, bien placé dans ma bibliothèque, il était rangé entre un roman de Guy Le Clec'h et des poèmes de Leconte de Lisle, voisins agréables, sans histoire. Alors? Premier roman de Le Clézio, prix Renaudot 1963, *Le Procès-verbal* n'a pas supporté, à mon avis, d'être supplanté dans mon affection par *Désert*, de dix-sept ans son cadet, dont j'ai clamé les beautés, dit qu'il était le meilleur livre de l'écrivain niçois, et que j'ai rangé à proximité de lui, dans les quarante centimètres de livres de Le Clézio. Jaloux, déçu, *Le Procès-verbal* m'a quitté, il est parti...

Lunettes

Au printemps 1983, je m'aperçus que, tout en aimant toujours autant les livres, ceux-ci semblaient me fuir.

Ils prenaient leurs distances, ils s'éloignaient de moi, le fossé entre mes yeux et les livres s'élargissait. En vérité, c'était moi qui les repoussais pour mieux les lire, et je n'avais plus les bras assez longs pour leur donner les meilleures garanties d'être bien lus. Il fallait me résoudre à porter des lunettes. Salauds de livres !

Quelque temps après, je reçus des romans de débutants où, pour la première fois, on m'envoyait des « hommages respectueux ». Je trouvais ces jeunes gens idiots, lèche-bottes ou malintentionnés. Mais les « hommages respectueux » devinrent de plus en plus nombreux et ne se limitèrent pas à la production romanesque. Salauds d'auteurs !

M

Mitterrand

Invité dès la cinquième émission (7 février 1975), à l'occasion de la publication de *La Paille et le Grain*, François Mitterrand fut le premier à qui toute une Apostrophes était consacrée. Entouré de Camille Bourniquel, qu'il avait demandé, et de Jacques Brenner, Maurice Chapelan et Max Gallo que je lui avais suggérés, il parla avec un brio incomparable de Lamartine, Saint-John Perse, Jules Renard, Jacques Chardonne, Jean Cocteau, Maurice Barrès, etc. Mais c'est dans son envolée finale — dix minutes d'une traite — sur *Le Désert des Tartares*, de Dino Buzzati, qu'il fut le plus éblouissant. Hélas ! neuf fois hélas, ainsi que je l'explique plus loin, les neuf premières émissions, dont celle avec François Mitterrand, n'ont pas été enregistrées par Antenne 2. Donc elles n'ont pas été déposées à l'I.N.A., donc elles n'existent pas.

La performance littéraire de celui qui n'était alors que le premier secrétaire du parti socialiste fut si convaincante et si plaisante, elle surprit et enthousiasma tant de gens que certains se demandèrent si, placée quelques semaines avant l'élection présidentielle de l'année précédente, elle n'aurait pas permis de combler l'écart de quatre cent mille voix qui séparait, au deuxième tour, François Mitterrand de son vainqueur Valéry Giscard d'Estaing. D'où probablement le dépit de certains mitterrandistes quand je conviai, quatre ans plus tard, V.G.E. à se transformer à son tour en critique littéraire.

Je pus mesurer l'impact de l'émission à ses retombées d'intolérance. La nuit suivante, plusieurs coups de téléphone injurieux et menaçants ; et les jours d'après, une floraison de lettres dont l'inspiration n'était pas primesautière. Cet accès d'aigreur et de mesquinerie ayant eu lieu après l'émission — et non avant comme dans l'émission avec V.G.E. —, mon souvenir n'en est pas gâté !

Modiano

Le nom de Patrick Modiano est spontanément cité lorsqu'on évoque les difficultés qu'éprouvent certains écrivains à s'exprimer à la télévision. Sept passages à Apostrophes ont rendu célèbres ses bras et ses mains qui s'agitent dans une poignante ou amusante détresse, ne parvenant pas, eux non plus, à terminer les phrases que la bouche commence et ne finit jamais. N'empêche que le public l'écoute avec tendresse, d'abord parce qu'il aime ses romans, ensuite parce qu'il est sensible à son effort et à la formidable sincérité que dégagent ses mots, ceux qu'il prononce et ceux qu'il cherche dans une sorte d'obstination poétique. Je ne sais plus quelle femme avait dit, lors de son premier passage (*Livret de famille*, en 1977), que pour abréger le supplice de Patrick, elle avait couru au drugstore acheter son livre.

Je crois que si, au début, il s'est imposé cette épreuve, c'était pour m'être agréable. Lors de la publication de *La Place de l'Étoile*, j'avais été le premier journaliste à lui écrire mon enthousiasme (s'il n'avait révélé l'existence de cette lettre dans plusieurs interviews, je ne me serais pas permis d'en faire état ; d'ailleurs, pour être franc, alors que je me rappelle très bien combien j'avais été séduit par son premier roman, je ne me souvenais pas de le lui avoir dit dans un texte privé). Par la suite, a-t-il pris goût, quoi qu'il lui en coûtât, à la télévision? Il y est, en tout cas, d'une inoubliable originalité, alors que des auteurs qui parlent avec aisance y passent sans laisser de trace.

J'ai été peiné en apprenant, quelques heures avant la dernière émission, qu'il n'y viendrait pas. Il m'a ensuite écrit une lettre très amicale dans laquelle il expliquait qu'à l'idée de se retrouver au milieu de plusieurs dizaines d'écrivains, il avait cédé à la panique. Bien sûr, je ne lui en veux pas. Alors que j'ai quelque ressentiment à l'égard de Françoise Sagan et de Jean Cau (neuf invitations chacun à Apostrophes) qui ont laissé leur chaise vide pendant la dernière émission et qui n'ont pas jugé utile, par tout moyen en usage aux P. et T., de m'exprimer un regret.

N

Nabokov

L'espoir de convaincre Vladimir Nabokov de paraître et de parler à la télévision était mince. Il n'avait accepté d'être filmé que dans son passe-temps estival de chasseur de papillons (plus une petite interview accordée à «Lectures pour tous», dont j'ai récemment appris l'existence et que je n'ai pas vue). Je me décidai cependant à lui rendre visite dans le vieux palace de Montreux où il vivait avec sa femme. Brouillé avec tous ses correcteurs, qu'il décourageait par sa parfaite connaissance du français et du Littré — «Mais Émile l'emploie», disait-il comme si Littré habitait lui aussi Montreux et était de ses amis —, il avait la réputation d'avoir un fichu caractère. Mais j'étais prêt à essuyer toutes les tempêtes pour amener cet écrivain génial sur le plateau d'Apostrophes.

Il était environ 15 heures, Nabokov avait fait une petite sieste, il était d'excellente humeur et j'eus la chance de plaire à sa femme. Du premier salon où nous commencions à bavarder nous avons été chassés par l'accordeur de piano. Réfugiés dans un autre salon, encore plus vaste que le premier, nous n'avons pas remarqué qu'il contenait aussi un piano. L'accordeur est venu lui administrer ses soins, de sorte que nous avons dû encore nous lever et fuir dans un troisième salon, sans instrument de musique, celui-ci, nous avons d'emblée vérifié. Nabokov était ravi de l'incident. Peut-être le romancier songeait-il à s'en servir? Charmé, subjugué par cet homme puissant, ironique, drôle, d'une culture prodigieuse, je me jurais, quoi qu'il m'en coûtât de patience et de câlineries, de le capturer dans mon filet à écrivains.

« J'ai horreur de l'improvisation, me dit-il. Je n'ai jamais lâché dix mots à mes élèves ou en public que je n'aie soigneusement pesés et écrits.

— Eh bien ! je ferai avec vous ce que je n'ai jamais admis pour personne : je vous enverrai le texte de mes questions.

— Et j'y répondrai par écrit. Je lirai mes réponses devant les caméras.

— Mais... mais...

— Arrangez-vous pour m'installer à un bureau dont le devant sera garni d'une muraille de livres qui masquera mon texte au public. Je suis très adroit dans l'art de faire accroire que je ne lis pas vraiment et que même à l'occasion mes yeux vont chercher l'inspiration au plafond. »

Ainsi fut fait, en direct, le 30 mai 1975. Il avait demandé qu'on lui serve un whisky d'une certaine marque et, afin de ne pas donner un mauvais exemple à ceux qui regarderaient l'émission, il avait exigé que le whisky soit dans une théière. Je m'entends encore lui dire : « Encore un peu de thé, monsieur Nabokov ? » Ayant des problèmes de vessie, il avait réclamé un urinoir portatif, caché derrière le décor du studio. Il n'eut évidemment pas à l'utiliser.

Son numéro de faux interviewé terminé, il était heureux comme un magicien qui a sorti des foulards de ses doigts et des lapins de son chapeau et qui a charmé et dupé la salle. Avec des mots et des phrases, il avait réussi le même exploit.

Un an après, Vladimir Nabokov mourait. Il avait soixante-dix-huit ans. Je revois l'accordeur de piano, j'entends les notes frappées par son index qui insiste... Je revois surtout le beau sourire un peu moqueur de Nabokov et je l'entends dire à sa femme et à moi : « Fuyons, le bruit terrassera le monde... »

O

Ormesson (d')

Jean d'Ormesson aura été l'écrivain le plus invité d'Apostrophes. Quinze fois. Comme Max Gallo et Philippe Labro. Mais tous les trois ne sont pas venus seulement pour leurs livres : je les ai sollicités pour présenter des ouvrages dont les auteurs ne parlaient pas français ou étaient décédés.

Pourquoi cet abonnement annuel de d'Ormesson à Apostrophes ? Je l'entends : « Quinze fois ? Ce n'est pas beaucoup, ce n'était pas assez… » Parce que j'apprécie — les téléspectateurs aussi — ses livres, son humour, sa manie des citations, sa façon enjouée de parler de choses graves, ses moqueries assassines. Comme Gallo dans la polémique, Labro dans l'Amérique, Jean d'Ormesson était un « bon client » d'Apostrophes.

Il y a encore ceci : quand, déjà académicien, en 1974, il est devenu le patron du *Figaro*, j'ai dû quitter ce journal. Il a la franchise de reconnaître dans *Garçon, de quoi écrire !* que les circonstances de mon départ ne sont pas à son avantage. Deux questions à mon inconscient : si j'ai si souvent invité d'Ormesson, n'est-ce pas pour le remercier de m'avoir obligé à prendre une décision, sur l'instant désagréable, tout compte fait heureuse ? N'y a-t-il pas un plaisir un peu pervers à prier chez soi, une fois par an, quelqu'un qui vous a contraint à claquer sa porte ?

P

Paribas

Le premier parrain d'Apostrophes a été le stylo Dupont. Des personnes ont été scandalisées qu'une émission culturelle, sur une chaîne publique, soit « sponsorisée ». Je n'y vois pour ma part aucun inconvénient, à condition qu'il n'y ait pas incompatibilité d'images entre l'émission et le parrain, et que celui-ci n'intervienne jamais dans le contenu de celle-là. L'introduction de la publicité sur les chaînes publiques a été une erreur, mais, puisqu'elle y est, il faut faire avec. Le parrainage est une manière élégante pour une entreprise de valoriser et mémoriser sa marque et ses produits. C'est aussi une manière habile pour une chaîne de faire entrer de l'argent. Antenne 2 en avait besoin. Je n'allais pas avancer des états d'âme. A noter que, bien que producteur délégué d'Antenne 2, je n'étais pas l'une des parties du contrat. Je n'en connaissais même pas le montant. En revanche, je jouissais d'une sorte de veto moral sur le choix des prétendants.

Après les stylos Dupont, il y eut les lunettes Essilor, dont la corrélation avec la lecture n'est pas à démontrer. Enfin, pour accompagner les douze dernières émissions, la banque Paribas, qui n'a pas des liens évidents avec les livres, autres que de comptes. Mais c'est un établissement financier prestigieux, et qui investit dans une fondation qui édite des albums d'art. Enfin, ce ne serait pas la pre-

mière fois que, sur Antenne 2, seraient asso-
ciés « les chiffres et les lettres »...

Paribas aurait voulu que la dernière émission
eût lieu sous la verrière de sa magnifique
orangerie, rue d'Antin. J'ai évidemment
refusé. J'ai accepté, en revanche, que quelques jours avant la fin d'Apostrophes s'y
déroulât une fête. Elle fut très réussie. Littéraire, avec la présence de nombreux écrivains
et éditeurs ; financière, avec des clients de la
banque ; politique et mondaine, plus de mille
personnes se sont entassées dans les salons et
les couloirs où était présentée avec goût et
humour une exposition retraçant l'histoire
d'Apostrophes (photos et dessins agrandis,
livres, documents, etc.). Mais les quatre salons
les plus fréquentés étaient ceux où les quatre
chefs des « trois étoiles » de la région lyonnaise (Paul Bocuse, Pierre Troisgros, Georges
Blanc, et Alain Chapel — qui allait mourir
subitement quinze jours plus tard) servaient
chacun un plat délicieux, arrosé d'un beaujolais frais et fruité de Georges Dubœuf. (L'introduction du beaujolpif, rue d'Antin, dans
une maison historique — c'est ici que Bona-
parte et Joséphine se sont mariés — et dans
une banque dont l'image de marque est plus
proche des premiers crus classés du bordeaux
que d'un vin populaire, faisait ma joie.)

Enfin, sommet de cette soirée organisée par Jean-Pierre Tuil et animée par Bernard Rapp et Pierre Perret, la vente aux enchères du dernier décor d'Apostrophes. Quand l'agence Civis Conseil en a émis l'idée, j'ai fait des réserves. Si aucun décor de télévision n'a jamais entendu le bruit d'un marteau de commissaire-priseur, il doit bien y avoir une raison. Il n'y en avait pas. Consulté, Michel Millecamps a répondu qu'il serait au contraire ravi qu'au lieu de finir à la casse, son décor procurât de l'argent à une bonne œuvre. J'avais choisi l'Association des amis de la Bibliothèque nationale. Sous le ministère enjoué de Mᵉ Poulain et Mᵉ Le Fur, la vente des fauteuils Stark — appelés par leurs créateurs fauteuils Jack Lang —, de la table et des grands panneaux d'Apostrophes, plus un lot de photographies d'écrivains signés Louis Monnier, procura la somme inespérée de 560 000 francs. Les amis de la B.N. y ajoutèrent quelques dizaines de milliers de francs et purent offrir à Emmanuel Le Roy Ladurie, administrateur général, un ensemble de manuscrits de Boris Vian. Ainsi, grâce à Paribas, étions-nous arrivés au terme d'une ronde de l'écriture : manuscrits → livres → Apostrophes → manuscrits.

243

Sur une chaîne baptisée Antenne 2, devenue indépendante et rivale de TF 1 et FR 3, créée et dirigée par Marcel Jullian, la première d'Apostrophes eut lieu, en direct, le vendredi 10 janvier 1975, à 21 h 30, dans le studio 4 de la rue Cognacq-Jay. Thème : «Les avocats n'ont-ils pas facilement bonne conscience?» Sur le plateau-prétoire trois avocats : Me René Floriot, Me Charles Libman et Me Émile Polak; un ancien condamné à mort, devenu juriste : Claude Charmes; le chroniqueur judiciaire d'Antenne 2, Paul Lefèvre, et Gilles Lapouge, collaborateur des premières émissions.

Quelques comptes rendus dans la presse, le lendemain, plutôt sympathiques, assez réservés cependant sur la formule thématique. Deux adhésions chaleureuses : Maurice Villermet, dans *Nice-Matin*, et Claude Sarraute, dans *Le Monde* : «Cette empoignade entre un condamné à mort réhabilité, auteur d'un livre intitulé *Le Maximum*, M. Claude Charmes, très sain, très flegmatique, très souriant, et un Me Floriot exaspéré qui le traitait de gibier de potence, c'était d'un cocasse! Une merveilleuse soirée, vivante, instructive, inattendue. Toutes les vertus du direct...»

De fait, Me Floriot avait perdu son flegme légendaire lorsque Claude Charmes avait annoncé qu'il avait l'intention de devenir avocat. Ah! non, nous ne voulons pas chez nous des types comme vous! lui avait en quelque sorte balancé l'illustre défenseur. Avec son accent méridional et sa truculence, Me Polak avait essayé d'arranger les choses. En vain.

Impossible aujourd'hui de revoir cette émission, ainsi que les huit autres Apostrophes qui ont suivi, car, dans l'enthousiasme et la pagaille des débuts d'Antenne 2, elles n'ont pas été enregistrées. Aucune bande témoin n'avait été prévue. C'est à la dixième émission, sur l'«esprit militaire», avec Bernard Clavel, Georges Brassens, les généraux Bigeard et Buis, entre autres invités, qu'un cadre technique de la chaîne s'est avisé de l'erreur. Faut-il ajouter qu'à l'époque les magnétoscopes individuels n'existaient pas?

Comble de malchance, aucune photo de la première Apostrophes n'a été prise. Sollicités par toutes les émissions créées quotidiennement sur les trois chaînes, les photographes avaient déserté, ce vendredi soir, les plateaux de télévision. Ils seront soixante-trois, quinze ans et demi après, sur le plateau de la dernière, plus sept équipes de télévision, françaises et étrangères.

Q

Question

On ne peut pas *poser* une question, car il est dans la nature de celle-ci d'être volatile et volubile et dans son rôle de frapper et de rebondir.

R

Rachmaninov

J'ai signé plusieurs milliers de fois une lettre ainsi rédigée : « C'est un extrait du concerto pour piano et orchestre, en *fa* dièse mineur, opus 1, de Serge Rachmaninov, qui accompagne les génériques d'Apostrophes. Ce concerto est ici interprété par Byron Janis et l'orchestre philharmonique de Moscou, dirigé par Kyril Kondrachine (Philips). »
C'est par hasard que j'ai choisi Rachmaninov

comme partenaire musical. À Noël 1974, parmi mes cadeaux, il y avait un 33 tours, comprenant les deux premiers concertos du lyrique Serge, le numéro deux étant le plus connu, d'abord parce qu'il est meilleur que le premier, ensuite parce qu'il accompagne Tom Ewell dans ses tentatives de séduction de Marilyn Monroe (*Sept Ans de réflexion*). Dans le premier mouvement *vivace*, du concerto n° 1, il m'a semblé intuitivement que le thème où le piano seul, bientôt relayé par l'orchestre, exprime de l'intelligence, de la passion et de l'humour pourrait être l'équivalent musical de ce que seraient les conversations d'Apostrophes. C'était là *le ton* de l'émission, je l'entendais.

C'est ainsi que Rachmaninov devint à son insu la première recrue de mon quatuor de célèbres Russes émigrés, quatuor dans lequel allaient entrer successivement Soljenitsyne, Nabokov et Zinoviev.

Rominet

Grand et superbe chat de gouttière tigré, aux yeux verts en amande. Né en 1973, l'année de mes débuts à la télévision. À côté de moi, contre moi, sur mon bureau — jamais sur moi, il a compris qu'on ne peut pas bien lire avec un chat sur les genoux —, avec une patience infinie il a été mon silencieux et courageux compagnon de lecture pendant dix-sept ans. Quand il prenait ses distances ou qu'il me faisait la gueule, c'était qu'il n'était pas d'accord avec les livres choisis. Signe particulier : a horreur des appareils de photo et des caméras. Se refuse à toute médiatisation. C'est pourquoi on ne m'a pas vu avec lui à « Trente millions d'amis. » Dès qu'il flaire un cadreur, un preneur de son ou un réalisateur, Rominet court se cacher dans une penderie. Il est le seul personnage de la télévision à préférer les « placards » aux projecteurs. Il me donne mauvaise conscience, et c'est très bien ainsi. On a souvent parlé de lui dans la presse, on me demande sans cesse de ses nouvelles. Jamais filmé ou interviewé, photographié que par des intimes, Rominet, chat célèbre et secret, est la vraie star de l'immeuble.

S

Simenon

Alors que j'étais tremblotant devant Soljenitsyne, Yourcenar, Jouhandeau ou Lévi-Strauss, pourquoi ne ressentais-je aucune appréhension, aucune émotion — hormis la fierté qu'il ait accepté de me recevoir — devant Georges Simenon ? Avec le réalisateur Nicolas Ribowski et les techniciens de la S.F.P., en octobre 1981, je suis entré dans la maison de Simenon, à Lausanne, comme si j'allais serrer la main de l'un de ces innombrables retraités sans manières dont il a fait les antihéros de ses romans. Simple, cordial, avec sa chemise américaine et le lacet qui lui tenait lieu de cravate, sa légendaire pipe au bec, il m'a accueilli comme si j'étais non pas le journaliste à qui il avait promis la dernière grande interview télévisée de sa vie, mais un ami parisien de passage en Suisse et avec lequel il allait de soi qu'il pourrait bavarder de choses et d'autres pendant une heure, sans que cela portât à conséquence.

Les caméras tournaient déjà, et c'est parce qu'il y avait entre nous, autour de nous, cette absence de dramatisation, ce climat bonhomme et serein, que je pris comme des coups à l'estomac ses confidences sur le suicide de sa fille Marie-Jo, sa bonasse impudeur. Il passait aux confidences et aux aveux, il se mettait à nu — il le faisait aussi dans ses *Mémoires intimes*, mais les mots restaient figés sur le papier, alors qu'ils claquaient dans sa salle de séjour propre et tristounette — et j'eus soudain l'impression d'être le commissaire Maigret qui cuisine un suspect qui va craquer, ça y est, qui craque, et dont le regard se brouille de larmes retenues.

Ayant revu l'émission, le lendemain de la mort de l'écrivain, je me suis reproché d'en avoir trop fait. Ayant lu à Simenon le passage où il raconte le suicide de sa fille et précise la nature du pistolet (« un 22 à un seul coup »), je lui demande deux fois si ce texte a été écrit par le père de Marie-Jo ou par le père du commissaire Maigret. Quand je renouvelle ma question, je vois bien que mon insistance lui fait mal et qu'il la trouve cruelle et déplacée. Pardon, monsieur Simenon.

Soljenitsyne

Au cours d'un récent séjour à Moscou, j'ai rencontré des Russes qui avaient vu l'émission (diffusée en France le 9 décembre 1983) consacrée à Alexandre Soljenitsyne, filmé chez lui, en famille, dans sa propriété du Vermont. Des copies, en langue russe, avaient été clandestinement introduites en U.R.S.S. et l'on se réunissait chez les privilégiés qui avaient des magnétoscopes.

Nous sommes entrés en voiture chez les Soljenitsyne alors que la nuit était tombée. Nous ne devions y aller que le lendemain matin, mais Nathalie, femme d'Alexandre, nous avait téléphoné pour une rencontre immédiate. Nous ne verrions pas son mari, mais nous pourrions discuter avec elle du tournage.

Elle avait débouché une excellente bouteille de châteauneuf-du-pape. Je me reproche aujourd'hui de ne pas avoir noté le nom du négociant à l'honneur sur la table des Soljenitsyne. Après une petite heure de conversation — Nikita Struve, l'éditeur en langue russe de l'écrivain, traduisait —, nous sommes repartis. En sortant, Nathalie nous a montré, là-haut, dans les arbres, une lumière. C'est là que travaillait Alexandre. Moment émouvant que j'ai raconté dans *Lire* (n° 99) : « Alors que je vais avoir le privilège de passer plusieurs heures en compagnie de Soljenitsyne et que demain, au grand jour, la maison n'aura plus de secret pour les caméras d'Antenne 2, cette lumière qui éclaire le sommet des arbres et qui, en même temps, me montre et me cache l'écrivain me séduit par son allégorie et sa beauté. Si, aujourd'hui, je ne devais retenir qu'un moment de cette visite à celui qui, mémoire scandaleuse, voix terrible, présence insupportable, a été expulsé de son pays, je crois bien que je privilégierais ce mouvement de la tête et des yeux que je fais pour regarder une fenêtre violemment éclairée qui me dissimule Alexandre Soljenitsyne que, pourtant, je vois. »

Sulitzer

Tous les journalistes un peu dégourdis savaient, depuis plusieurs années, que Paul-Loup Sulitzer n'écrivait pas lui-même ses romans. Encore fallait-il en apporter la preuve. C'est ce qu'a fait Pierre Assouline dans *Lire* de juin 1987. Et ce qui m'a permis, à la fin d'une Apostrophes, de montrer *La Femme pressée*, signé Sulitzer, et de dire à Loup Durand, présent sur le plateau pour *Daddy*, qu'il était également l'auteur de ce roman.

Après s'être défendu maladroitement en exhibant une trentaine de nègres dans la cale de son yacht, P.-L.S. a fini par reconnaître que c'était Loup Durand qui souquait le plus. Avec un peu d'humour, il aurait pu m'approuver quand j'ai vanté sa capacité de chef d'entreprise à bien choisir la personne à laquelle il délègue ses travaux d'écriture. Car Loup Durand est un solide et habile romancier populaire, ce qui explique que, contrairement à des confrères beaucoup plus sulitze-rophobes que moi, je n'ai jamais dit ou écrit que les livres de P.-L. D.-S. (Paul-Loup Durand-Sulitzer) étaient illisibles.

« Le gros qui parle toujours de son fric » (Geneviève Dormann) a contre-attaqué en me remerciant de lui avoir « fait de la publi-cité ». Lourde ironie qui masque en vérité le constat amer d'une sévère perte de crédit pour celui qui avait eu l'astuce médiatique de faire croire dans les milieux financiers qu'il était un grand écrivain et dans les milieux lit-téraires qu'il était un grand financier.

T

Truffaut

C'est à Apostrophes, le 13 avril 1984, qu'on a vu pour la dernière fois François Truffaut, venu présenter son livre sur Hitchcock. Parce que Marcello Mastroianni jouait le soir au théâtre, l'émission avait dû être enregistrée le vendredi après-midi, sur un plateau des Buttes-Chaumont. Il n'a manifesté aucune impatience devant le retard considérable de Roman Polanski qui se faisait annoncer de quart d'heure en quart d'heure par des coups de téléphone farfelus. « Polanski est souvent en retard ? » ai-je demandé à Mastroianni, qui a aussitôt répondu : « Que voulez-vous, lui, c'est une star ! » Truffaut a éclaté de rire. Qui pouvait se douter, si l'on ignorait la gravité du mal qui allait l'emporter quelques semaines après, que cet homme qui s'exprimait avec une intelligence et une passion intactes était condamné ? J'ai appris plus tard qu'il avait fait un effort considérable pour participer à l'émission.

Chaque année, François Truffaut m'envoyait un calendrier littéraire qu'il achetait aux États-Unis. C'était un fidèle d'Apostrophes. Consommateur boulimique de romans, de biographies et d'autobiographies, il aimait les écrivains, presque autant que les comédiens. Il savait que je l'admirais et que je le considérais comme le plus romancier de nos cinéastes. Quand j'écrivais un texte sur un film de Truffaut, sur *La Nuit américaine*, sur *Le Dernier Métro*, par exemple, j'avais l'impression de parler d'un romancier, d'un vrai, qui avait bizarrement choisi d'écrire avec une caméra. « Voyons-nous », « oui, oui, voyons-nous ». Il est parti.

En ce temps-là (25 avril 1975), Jean Elleinstein était encore un intellectuel officiel du parti communiste. J'avais invité Jacques Duclos, qui venait de publier son *Ce que je crois*, dans un débat sur Trotski à l'occasion de la sortie du livre de Gérard Rosenthal *Avocat de Trotski*. Mais Jacques Duclos étant tombé gravement malade, c'est Jean Elleinstein qui avait été délégué par le P.C. pour le remplacer.

Tous les invités avaient déjà pris place autour de la petite table d'Apostrophes, l'émission commencerait dans quelques minutes quand on est venu me dire que Jacques Duclos était mort. Je transmets la nouvelle à Jean Elleinstein qui annonce aussitôt qu'en signe de deuil il est obligé de partir et de laisser sa chaise vide. Mais je vois bien que, si son émotion est sincère, il est navré de ne pouvoir s'exprimer sur un sujet qu'il possède bien. Quant à moi, je suis catastrophé, le débat tournant court puisqu'il ne réunit plus que des trotskistes. Je suggère *mezzo voce* qu'on pourrait peut-être retarder l'annonce de la mort de Jacques Duclos d'une demi-heure, ce qui laisserait à Jean Elleinstein le temps de s'exprimer et la possibilité de faire l'éloge du disparu. Accord conclu très vite, en quelques secondes, en présence notamment d'Arlette Laguiller dont on connaît le franc-parler. Et si elle vendait la mèche ?

Je commence l'émission, en remerciant Jean Elleinstein d'avoir remplacé Jacques Duclos, très malade comme on sait. Aussitôt le standard d'Antenne 2 menace de sauter, tant sont nombreux les coups de fil : « Duclos est mort ! La radio l'a annoncé... Allez dire à Pivot que... » Pendant ce temps, Jean Elleinstein bataille ferme contre les trotskistes. Les minutes passent, le débat est passionné. Enfin on m'apporte un billet sur lequel je lis, après avoir obtenu le silence, que Jacques Duclos vient de décéder. Émotion générale. Jean Elleinstein commence aussitôt son éloge funèbre : « Né dans les Pyrénées à la fin du siècle dernier, notre camarade Jacques Duclos... » Il se lève et annonce qu'en signe de deuil il ne peut rester plus longtemps... *Exit* l'intellectuel du P.C. Et si, alors, Arlette Laguiller ou l'un des autres trotskistes avait révélé que nous savions la nouvelle depuis une demi-heure, qu'en vérité Jean Elleinstein, sur ma suggestion, etc. ? J'ai vécu là deux minutes très longues et très moites.

Le plus extraordinaire, c'est que, outre les invités, plusieurs dizaines de personnes : techniciens d'Antenne 2 et spectateurs de l'émission, étaient au courant de l'«arrangement» et que rien n'a filtré dans la presse.

U

Urbi et orbi

Quand André Frossard a publié un livre avec le pape : *N'ayez pas peur. Dialogue avec Jean-Paul II* (1982), j'ai essayé, par son intermédiaire, d'obtenir une interview du souverain pontife. Il n'en accorde jamais, mais Frossard, aidé de Dieu, pouvait, sait-on jamais, réaliser un miracle. Son éditeur Charles Ronsac me tenait au courant des approches, séductions et tractations vaticanes pour réaliser le *scoop* sacré. D'après ce que j'ai pu comprendre, le clan polonais était favorable et le clan italien hostile. Tantôt les *monsignori* à l'accent slave semblaient l'emporter, et j'adressais de ferventes prières à la Vierge noire de Czestochowa pour qu'elle assure le triomphe des siens, sur la terre comme au ciel ; tantôt les *monsignori* au parmesan prenaient l'avantage, et j'implorais tous les saints victimes des manœuvres abominables du pape Borgia pour qu'ils fassent cesser les complots de ses descendants.

Un jour, hélas ! on m'apprit que le pape s'était rangé à l'avis des Italiens. Probable que la Vierge noire de Czestochowa n'entend rien au français. Et Dieu dans tout ça ?

V

Vincenot

J'adorais Henri Vincenot et j'en avais fait mon « chouchou » — je l'ai dit à l'antenne —, l'invitant même quand son nouveau livre était à l'évidence inférieur à *La Billebaude* ou aux *Mémoires d'un enfant du rail*. Avec son crâne déplumé de vieux Berbère — il aimait vagabonder au Maroc —, ses célèbres moustaches gauloises, ses gilets de laine tricotée, son accent rocailleux de Bourguignon, Vincenot était d'une irrésistible drôlerie. On ne pouvait lui en vouloir de tenir parfois des propos d'une misogynie surannée ou de se camper en fieffé réactionnaire, car, quoi qu'il dît, c'était avec truculence, humour, avec la roublardise du pisteur de sanglier et la sagesse du cheminot. On nous croyait amis, familiers l'un de l'autre, et c'était faux. Je n'ai jamais fait le voyage de Commarin, son village de haute Bourgogne, et, en dehors d'Apostrophes, je ne l'ai rencontré qu'une seule fois, lors d'un déjeuner, au restaurant Greuse, à Tournus, réunis par son éditeur d'alors, Albert Blanchard.

J'étais convaincu qu'il ferait un centenaire magnifique et que des files de jeunes écolos viendraient lui demander le secret de sa santé et de sa bonne humeur. Mais il ne s'est jamais remis de la mort de sa femme, qu'il aimait tendrement, et, moins de deux ans après elle, il s'en est allé.

Je l'entends encore me parler de la fierté des Bourguignons : «C'est-à-dire qu'ils ont une fierté à rebours ; ils aiment dire moins pour qu'on comprenne plus. Ce sont les chevaliers de la litote, les Bourguignons ! À une jeune fille qui venait de passer sa nuit de noces, on demande avec finesse : "Alors, ça s'est bien passé ? — Ah ! Bah ! j'y déteste pas tant !" Ça, c'est bourguignon. Elle n'a pas dit : "J'aime ça" ; elle a dit : "J'y déteste pas tant." »

W

Walesa

Maintenant que Lech Walesa n'est plus un syndicaliste emprisonné ou surveillé, mais un personnage officiel de la nouvelle Pologne, peut-être son futur président, il est possible de révéler comment et par qui j'ai pu réaliser, en janvier 1987, l'interview clandestine du plus célèbre électricien du monde.

C'est un Français qui, doublant Américains et Anglais, a convaincu Lech Walesa d'écrire ses Mémoires et de céder aux éditions Fayard les droits mondiaux sur le livre qui allait s'intituler *Un chemin d'espoir* — titre justifié par l'Histoire. Ce Français s'appelle Pierre Cottin. Il est photographe, il vit à Villefranche-sur-Saône, et, un jour de l'été 1977, timide, il m'avait présenté de superbes photos. Sans hésiter j'avais accepté de préfacer l'album qu'il projetait de faire et qui parut sous le titre *Beaujolaises*. Et c'était mon Cottin — j'en étais baba ! — qui réapparaissait avec dans les mains un coup éditorial de dimension mondiale...

Parti faire des photos en Pologne, il y avait vécu un grand amour, s'était lié avec Solidarnosc, avait rencontré Walesa et gagné son amitié et sa confiance. Faisant souvent le voyage aller-retour Paris-Varsovie, Pierre Cottin était devenu l'intermédiaire entre Claude Durand, P.-D.G. des éditions Fayard, et le mémorialiste Walesa, le courrier clandestin des chapitres écrits, et, en Pologne, l'organisateur du livre. Sa rédaction collective donnait lieu à de nombreuses frictions entre les syndicalistes des chantiers navals et les intellectuels de Varsovie. Ils n'avaient pas toujours la même version des faits. Ils variaient dans leur jugement sur le général Jaruzelski et dans leur stratégie de l'accommodement et de l'espoir. Il n'est pas étonnant, à la lumière de ce qui se passait alors, que, dans la Pologne libre, les intellectuels de Solidarnosc aient rompu avec les ouvriers de Walesa.

Mais, tout en déjouant les filatures de la police, ils avaient fini par écrire le livre. J'en avais lu la traduction française et, sous le prétexte d'une conférence à l'Institut français de Varsovie, j'avais débarqué en Pologne avec le cinéaste-reporter Michel Parbot, alors à l'agence Sygma, qui n'avait pour tout matériel qu'une caméra super-8.

La conférence expédiée, nous sommes partis, Cottin, Parbot et moi, pour Gdansk. Nous étions guidés par un militant efficace et sympathique de Solidarnosc, le jeune graphiste Antek Rodowiczk, qui parlait bien le français. Le train, la neige, le froid, la peur de nous faire pincer. J'étais heureux, moi, le sédentaire bouffeur de livres, de vivre un peu dangereusement. Au vrai, nous ne risquions que quelques heures désagréables dans un poste de police, rien de plus. La Pologne n'était déjà plus en mesure de traiter sévèrement des étrangers.

Après une nuit passée chez le truculent consul français de Gdansk, nous avons fait l'interview de Walesa, au début de l'après-midi, dans une salle de catéchisme de l'église Sainte-Sophie, tenue par un des plus remuants curés de Solidarnosc, le père Jankowski. Walesa impatient, jovial, sûr de lui, bavard, ironique avec la milice, confiant dans son avenir, gourmand et goguenard, politiquement prudent et habile. Nous étions entrés dans le presbytère séparément. Mais, ayant dû remarquer que cela faisait quand même beaucoup de monde — Walesa était accompagné de plusieurs personnes —, la milice a imaginé qu'il se passait ce jour-là des choses pas très catholiques chez le père Jankowski. Elle s'est montrée ostensiblement. Il y eut un moment de panique. Nous avons vite plié bagage. Michel Parbot a laissé la pellicule au presbytère, d'où elle serait expédiée sur Paris par une filière de Solidarnosc. Et, nos pieds enfonçant dans une neige épaisse, nous avions quitté les lieux un à un. Sans être inquiétés.

À Varsovie, j'ai rendu visite au très surveillé professeur Geremek, figure historique de Solidarnosc. L'ayant rassuré sur la qualité de la traduction française et lui ayant dit pourquoi j'avais lu avec passion *Un chemin d'espoir*, il a donné à Pierre Cottin le feu vert pour la parution du livre à Paris. L'appartement du professeur Geremek était truffé de micros. Aussi étions-nous rassemblés tous les trois au centre de son salon, chaise contre chaise, pendant qu'il faisait marcher très fort sa radio.

Ai-je vraiment vécu cela ? Il y eut un temps où il fallait raser les murs pour rencontrer M. Walesa, à Gdansk ? Vous êtes sûr ? C'est prouvé ? N'est-ce pas plutôt, ce que vous racontez là, une savoureuse aventure de Cottin et Milou en Pologne ?

X

X

Il n'y eut pas d'Apostrophes d'un érotisme insoutenable, mais des moments d'émissions qui auraient pu être classés X. Avec cette remarque que les mots qui choquaient ou les récits qui scandalisaient il y a dix ou quinze ans ne provoquent plus aujourd'hui que quelques lettres, d'ailleurs plus attristées que courroucées. La présence le 17 juin 1977 de Xaviera Hollander, dont les livres brûlants et techniques peuvent, comme certains outils, décoincer et ouvrir, suscita l'étonnement (c'est un euphémisme) et la curiosité (c'est aussi un euphémisme). Dès le lendemain, on entendait dans les librairies des milliers d'hypocrites demander : «Vous avez le livre de la dame qui était hier à Apostrophes ? »

Y

Yourcenar

À l'écoute des réponses de Marguerite Yourcenar (7 décembre 1979), de ses mots qui tombaient juste, de ses phrases pleines, lentes, charnues, et cependant gracieuses et ondoyantes, jamais je n'ai autant éprouvé la conviction que je parle mal.

Z

Zinoviev

Après Soljenitsyne et Nabokov, mon troisième grand Russe émigré. Pas le plus facile, à lire ou à interviewer, et probablement pas le plus facile non plus à vivre. Un orgueil à la mesure de son immense talent satirique (*Les Hauteurs béantes*, *Katastroïka*). Je pensais qu'Alexandre Zinoviev refuserait de rencontrer Boris Eltsine, le démagogue chéri des électeurs de Moscou. J'imaginais que celui-ci ne voudrait pas être confronté à un homme d'une stature intellectuelle qui écrase la sienne. Mais, à ma surprise, ils acceptèrent de dialoguer (9 mars 1990), si tant est qu'on puisse appeler dialogue une conversation pendant laquelle ils évitèrent de se regarder et s'adressèrent plus à moi, qui ne comprenais pas le russe, qu'à leur vis-à-vis.

Les téléspectateurs n'ont pas vu ceci : à peine avais-je clos l'émission que Boris Eltsine, qui était à ma droite, s'est levé, s'est penché vers Zinoviev, stupéfait, qui était toujours assis, à ma gauche, lui a vivement serré la main et s'est enfui. Le surlendemain, on apprenait que, rentré à Moscou, il avait eu un malaise cardiaque.

Annexes

Cent livres lancés
par Apostrophes

Voici un choix de cent livres, de toute nature, dont le succès en librairie est dû, pour une bonne part, à Apostrophes. N'ont pas été retenus les Mémoires d'acteurs (Simone Signoret, Kirk Douglas, François Perier, Richard Bohringer, etc.) ou les best-sellers mondiaux, comme les romans d'Umberto Eco, qui, Apostrophes ou pas, auraient atteint de gros tirages.

Bernard Alexandre, *Le Horsain*, Plon, 1988.
Philippe Alexandre, *Paysages de campagne*, Grasset, 1988.
Isabel Allende, *La Maison aux esprits*, Fayard, 1983.
Philippe Ariès, *L'Homme devant la mort*, Le Seuil, 1978.
Élisabeth Badinter, *L'Amour en plus*, Flammarion, 1980.
Julian Barnes, *Le Perroquet de Flaubert*, Stock, 1986.
Roland Barthes, *Fragments d'un discours amoureux*, Le Seuil, 1977.
Nina Berberova, *C'est moi qui souligne*, Actes Sud, 1989.

Maurice Bernachon, *La Passion du chocolat*, Flammarion, 1985.

Hector Bianciotti, *L'amour n'est pas aimé*, Gallimard, 1983.

Geneviève Bon, *La Traversée du désir*, Laffont, 1986.

Frédéric Bon, Michel-Antoine Burnier, *Que le meilleur perde*, Balland, 1986.

Vladimir Boukovsky, *... et le vent reprend ses tours*, Laffont, 1978.

Daniel Boulanger, *Mes coquins*, Gallimard, 1990.

Pierre Bourdieu, *La Distinction*, Éd. de Minuit, 1979.

Jeanne Bourin, *La Chambre des dames*, La Table ronde, 1979.

William Boyd, *Comme neige au soleil*, Balland, 1985.

Serge Bramly, *Léonard de Vinci*, Lattès, 1988.

André Brink, *Une saison blanche et sèche*, Stock, 1980.

Claudie et Jacques Broyelle, *Deuxième Retour de Chine*, Le Seuil, 1978.

Émilie Carles, *Une soupe aux herbes sauvages*, Simoën, 1978.

Cavanna, *Les Ritals*, Belfond, 1978.

Gérard Chaliand, *Atlas stratégique*, Fayard, 1983.

Jean Chalon, *Le Lumineux Destin d'Alexandra David Neel*, Perrin, 1985.

Jean-Pierre Changeux, *L'Homme neuronal*, Fayard, 1983.

Madeleine Chapsal, *La Maison de jade*, Grasset, 1986.

Barbara Chase-Riboud, *La Virginienne*, Albin Michel, 1986.

Hugo Claus, *Le Chagrin des Belges*, Julliard, 1985.

Christiane Collange, *Moi ta mère*, Fayard, 1985.

Jeanne Cordelier, *La Dérobade*, Hachette, 1976.

Anne-Marie Crolays, *L'Agricultrice*, Ramsay, 1982.

Danielle Décuré, *Vous avez vu le pilote ? C'est une femme !*, Laffont, 1982.

Régine Deforges, *La Bicyclette bleue*, Ramsay, 1983.

Anne Delbée, *Une femme. Nom : Claudel. Prénom : Camille, sculpteur*, Presse de la Renaissance, 1982.

Jean-François Deniau, *La Désirade*, Orban, 1988.

Maurice Denuzière, *Louisiane*, Lattès, 1977.

Fanny Deschamps, *La Bougainvillée*, Albin Michel, 1982.

Jean Dieudonné, *Pour l'honneur de l'esprit humain*, Hachette, 1987.

Anni Ernaux, *La Place*, Gallimard, 1984.

Irène Frain, *Le Nabab*, Lattès, 1982.

Ania Francos, *Sauve-toi, Lola*, Barrault, 1983.

Marie Gagarine, *Blonds étaient les blés d'Ukraine*, Laffont, 1989.

Louis Gardel, *Fort Saganne*, Le Seuil, 1980.

Anne Garreta, *Sphinx*, Grasset, 1986.

Marguerite Gentzbittel, *Madame le Proviseur*, Le Seuil, 1988.

Alain Gerber, *Le Faubourg des coups de trique*, Laffont, 1979.

René Girard, *Des choses cachées depuis la fondation du monde*, Grasset, 1978.

André Giresse, *Seule la vérité blesse*, Plon, 1987.

Patrick Grainville, *Le Paradis des orages*, Le Seuil, 1986.

Claude Hagège, *L'Homme de paroles*, Fayard, 1985.

Georges Haldas, *La Légende du football*, L'Âge d'homme, 1982.

Alex Haley, *Racines*, Alta, 1977.

Hervé Hamon, Patrick Rotman, *Les Intellocrates*, Ramsay, 1981.

Jean-Louis Hue, *Le Chat dans tous ses états*, Grasset, 1982.

Jean Hugo, *Le Regard de la mémoire*, Actes Sud, 1984.

Vladimir Jankélévitch, *Le Je-ne-sais-quoi et le Presquerien*, Le Seuil, 1980.

Alexandre Jardin, *Bille en tête*, Gallimard, 1986.

Richard Jorif, *Le Navire Argo*, François Bourin, 1981.

Nina et Jean Kéhayan, *Rue du Prolétaire rouge*, Le Seuil, 1978.

Milan Kundera, *L'Insoutenable Légèreté de l'être*, Gallimard, 1984.

J.M.G. Le Clézio, *Désert*, Gallimard, 1980.

Emmanuel Le Roy Ladurie, *Montaillou, village occitan de 1294 à 1324*, Gallimard, 1975.

Bernard-Henri Lévy, *La Barbarie à visage humain*, Grasset, 1977.

Raymond Lévy, *Schwartzenmurtz*, Albin Michel, 1977.

Brigitte Lozerec'h, *L'Intérimaire*, Julliard, 1982.

Amin Maalouf, *Léon l'Africain*, Lattès, 1986.

Norman Mailer, *Le Chant du bourreau*, Laffont, 1980.

Ella Maillart, *La Voie cruelle*, Payot, 1989.

Antonine Maillet, *Les Cordes de bois*, Grasset, 1977.

Alain Minc, *La Machine égalitaire*, Grasset, 1987.

Gaston Miron, *L'Homme rapaillé*, Maspero, 1981

François Mitterrand, *La Paille et le Grain*, Flammarion, 1975.

Hugues de Montalembert, *La Lumière assassinée*, Laffont, 1982.

Kénizé Mourad, *De la part de la princesse morte*, Laffont, 1987.

Paul Murray Kendall, *Louis XI*, Fayard, 1975.

Catherine Nay, *Le Noir et le Rouge*, Grasset, 1984.

Dominique Nora, *Les Possédés de Wall Street*, Denoël, 1987.

Hector Obalk, *Les Mouvements de mode expliqués aux parents*, Laffont, 1984.

Erik Orsenna, *L'Exposition coloniale*, Le Seuil, 1988.

Katherine Pancol, *Moi d'abord*, Le Seuil, 1979.

Jean Pasqualini, *Prisonnier de Mao*, Gallimard, 1975.

Milorad Pavic, *Le Dictionnaire khazar*, Belfond, 1988.

Paul Pavlowitch, *L'Homme que l'on croyait*, Fayard, 1981.

Émile Peynaud, *Le Goût du vin*, Dunod, 1980.

Frédéric Prokosch, *Voix dans la nuit*, Fayard, 1984.

Hubert Reeves, *Patience dans l'azur*, Le Seuil, 1981.

Catherine Rihoit, *Le Bal des débutantes*, Gallimard, 1978.

Jacqueline de Romilly, *L'Enseignement en détresse*, Julliard, 1984.

Stella et Joël de Rosnay, *La Mal bouffe*, Orban, 1979.

Léon Schwartzenberg, Pierre Viansson-Ponté, *Changer la mort*, Albin Michel, 1977.

Roger-Gérard Schwartzenberg, *L'État-spectacle*, Flammarion, 1977.

George Steiner, *Les Antigones*, Gallimard, 1986.

William Styron, *Le Choix de Sophie*, Gallimard, 1981.

Patrick Süskind, *Le Parfum*, Fayard, 1986.

Antoine Sylvère, *Toinou*, Plon, 1980.

Henri Vincenot, *La Billebaude*, Denoël, 1978.

Michaël Voslensky, *La Nomenklatura*, Belfond, 1980.

Tom Wolfe, *Le Bûcher des vanités*, Sylvie Messinger, 1988.

Ya Ding, *Le Sorgho rouge*, Stock, 1987.

Cizia Zyké, *Oro*, Hachette, 1985.

Fiche technique d'Apostrophes

Titre : Apostrophes.

Producteurs : Antenne 2 et Bernard Pivot.

Animateur : Bernard Pivot.

Réalisateurs : François Chatel, Roger Kahane, Jean Cazenave, Jean-Luc Leridon, Nicolas Ribowski (tête-à-tête au domicile des écrivains), Jacques Cristobal (Apos' et 'Strophes).

Décorateur : Michel Millecamps.

Assistante de l'animateur : Anne-Marie Bourgnon.

Assistantes des réalisateurs : Monique Wendling, puis Renée Bernard.

Secrétaires : Marie-Claude Lanier, puis Nadège Melloul, enfin Élisabeth Pain.

P.-D.G. d'Antenne 2 : Marcel Jullian, Maurice Ulrich, Pierre Desgraupes, Jean-Claude Héberlé, Jean Drucker, Claude Contamine, Philippe Guilhaume.

Directeurs de l'unité de programmes : Pierre Miquel, puis Guy Maxence, enfin Marc de Florès.

Administrateurs : Danielle Rambaudon, puis Gérard Mancellon, puis Françoise Roucan, enfin Danielle Rambaudon.

Où : studio d'Antenne 2.

Quand : le vendredi, à 21 h 35.

Comment : en direct, pendant 75 minutes.

Quoi : magazine de littérature et d'idées qui puise sa substance dans les livres.

Avec qui : les auteurs des livres.

Bilan : 724 émissions, du 10 janvier 1975 au 22 juin 1990.

Apos' : (dimanche soir) et *'Strophes* : (lundi soir) : du 13 septembre 1987 au 25 juin 1989.

Récompenses : cinq 7 d'or ; prix 1983 de la Critique de l'Académie française ; Atlantida 1988 décerné par les éditeurs de Catalogne ; « Meriti Litterari » 1987 décerné par des écrivains et journalistes italiens ; prix Louise Weiss-Bibliothèque nationale.

Bibliographie : *Les Disparus d'Apostrophes*, par Pétillon (Dargaud, 1982) ; *L'Effet Pivot*, par Édouard Brasey (Ramsay, 1987) ; *Dans les coulisses d'Apostrophes* : photographies de Lucien Chiaselotti (Plon, 1989) ; *Bernard Pivot reçoit*, deux Apostrophes imaginées par Patrick Rambaud (Balland, 1989).

Discographie : *Bernard Pivot*, par Pierre Perret ; *En allant chez Pivot*, par Marie-Paule Belle.

Vidéothèque : huit cassettes Vision-Seuil sont actuellement disponibles en librairie, qui reproduisent les Apostrophes spéciales consacrées à Albert Cohen, Françoise Dolto, Georges Dumézil, Marguerite Duras, Julien Green, Vladimir Nabokov, Georges Simenon, Marguerite Yourcenar.

II

BOUILLON DE CULTURE

Pour Anne-Marie Bourgnon

L'esprit de Bouillon de culture

PIERRE NORA – Alors, prêt pour dix ans et demi de rallonge ? Si oui, ma première question est inévitable, même si prévisible : au commencement de Bouillon de culture, en 1991, vous étiez frétillant de projets et d'ambitions : « la culture dans sa diversité et son mouvement ». On vous a vu tâter de plusieurs formules pour revenir à la case départ, la bonne vieille formule d'Apostrophes. Aveu d'échec ? Que s'est-il passé au juste ?

BERNARD PIVOT – Il s'est passé ce qui se passe dans les contes pour enfants, quand les fugitifs, après plusieurs jours et nuits de marche, de tours et de détours, d'allées cavalières et de chemins de traverse, se retrouvent devant le château hanté qu'ils croyaient avoir mis à bonne distance.

Après dix-sept années de lecture à domicile,

j'avais décidé de prendre l'air, de m'oxygéner, si on peut dire, dans les cinémas, les théâtres, les musées, les galeries, et autres lieux d'évasion culturelle, comme les music-halls, les salles de concert, les ateliers de mode, et même les cuisines des grands chefs. De la curiosité tous azimuts, des reportages tous terrains... Sans toutefois me déconnecter du livre. Comment aurais-je pu, d'ailleurs ? L'actualité me donnerait l'occasion d'y puiser des sujets et des personnages. Je n'avais pas divorcé du livre. Nous avions d'un commun accord décidé de reprendre chacun notre liberté. Mais je n'étais plus en charge de l'actualité littéraire comme du temps d'Apostrophes. C'est Bernard Rapp qui s'y était mis avec « Caractères ». Directeur d'Antenne 2, Jean-Michel Gaillard, qui ne pouvait pas imaginer un seul instant qu'il n'y eût pas de magazine littéraire sur sa chaîne et qui avait hâté d'une amicale insistance mon retour à l'antenne, m'avait demandé quel journaliste ou animateur, déjà dans la maison, pourrait me succéder. Je lui avais suggéré deux noms : Frédéric Mitterrand et Bernard Rapp. Il choisit le second.

Enfin levé de ma chaise de lecteur, j'avais des fourmis dans les jambes. J'allais redevenir, comme à mes débuts au *Figaro littéraire*, un courriériste, celui qui court, qui bondit, qui touche à tout, qui goûte à tout. Ce serait réellement « la culture dans sa diversité et son mouvement ». L'émission s'intitulerait « Bouillon de culture » et, si j'en étais l'animateur, elle serait l'œuvre culturelle et bouillonnante, hebdomadaire, d'une petite équipe de journalistes dirigée par mon complice et conseiller depuis les débuts de *Lire*, Pierre Boncenne.

Au départ, notre intention était de proposer — en direct, toujours — un magazine d'actualité de quatre-vingt-dix minutes où alterneraient le reportage et le billet d'humeur, l'image et la parole, l'information et la critique, l'enquête et les brèves, l'interview et la chronique, la gravité et l'humour. Tous les domaines de l'esprit, tous les formats, toutes les envies. Que les émissions se suivent et ne se ressemblent pas. Du multiculturel à foison. Et, surtout, créer chez les téléspectateurs, comme avec Apostrophes, mais cette fois pas seulement pour les livres, des désirs d'en savoir plus et, donc, d'aller au cinéma, au théâtre, au concert, au musée, etc.

Dans l'idée de Jean-Michel Gaillard comme dans la mienne, Bouillon de culture ne serait pas seulement un agréable magazine d'information et de divertissement culturels. Service public oblige : il s'efforcerait de rendre les téléspectateurs un peu plus intelligents, un peu plus curieux, et il les inciterait — horreur ! dire cela est aujourd'hui une abomination, une monstruosité, une parole attentatoire à l'intégrité de l'Audimat —, il les exhorterait à fermer de temps en temps leur poste pour prendre la clé des champs culturels.

À cet égard, il m'est souvent arrivé, par quelques phrases stimulantes, d'envoyer plusieurs milliers de personnes à la location d'un théâtre. En janvier 1995, sur la scène de la Comédie-Française, en présence de l'administrateur Jean-Pierre Miquel, de sociétaires et pensionnaires, je fis une émission qui dut faire tinter les oreilles de Molière, de Marivaux et de Feydeau. Elle augmenta soudainement les abonnements au Théâtre-Français, dont la boutique attenante fut dévalisée, dès le lendemain de Bouillon de culture, des objets divers : foulards, tee-shirts, cassettes, verres, stylos, etc., que je montrai *in fine*, comme le prestidigitateur Vladimir Nabokov ouvrait ses mains sur des papillons bigarrés.

Avec le recul je vois bien que j'avais construit un nouveau magazine qui était le contraire d'Apostrophes. La formule adoptée était antithétique de la précédente. Était-ce volontaire ? En partie, seulement. Il y avait probablement dans mon inconscient quelque diable qui me poussait à faire table rase du passé et, par défi, par goût du risque, par jeu aussi, à m'éloigner le plus possible de ce qui avait fait mon succès.

À cinquante-cinq ans, renaître, surprendre, peut-être dérouter, en tout cas innover, n'était-ce pas exaltant ?

Apostrophes était bâtie sur la règle des trois unités du théâtre classique : unité de lieu (un studio où j'étais continuellement assis), unité de temps (direct sans insert) et unité d'action (des écrivains réunis autour d'un thème).

Bouillon de culture serait un méli-mélo, une mosaïque, un spectacle éclaté. Plus d'unités. Ni d'action, puisque cinq ou dix matières se succéderaient et qu'on passerait du livre au cinéma, de l'histoire à l'actualité, d'un sujet de société au verbe d'un individu. Ni de temps, ni de lieu, puisque l'émission, en direct, proposerait des reportages, des interviews enregistrées, des images d'archives, qui en briseraient le continuum et nous transporteraient ailleurs, à des moments datés et dans des endroits autres que le studio. Même dans celui-ci je ne serais plus immobile, allant jusqu'à grimper au sommet d'une petite mezzanine, sous les caméras d'Alexandre Tarta, réalisateur chevronné qui aime la belle ouvrage, et d'Élisabeth Preschey, jeune réalisatrice débutante recrutée par une petite annonce dans les ascenseurs de la chaîne.

À l'énoncé d'une ambition qui tenait plus du puzzle que de l'architecture, peut-être vous dites-vous que les premières émissions devaient être un fouillis de bonnes intentions ? Je ne crois pas.

D'abord parce que je m'attachais à structurer le mieux possible l'ensemble des éléments de chaque émission, à donner à celle-ci une cohérence, voire — comme aime à le dire Michel Hermant, qui remplaça, fin 1995, Alexandre Tarta, atteint, paraît-il, par la limite d'âge — à « raconter une histoire ».

Ensuite, parce qu'une personnalité, invitée de référence, servait de fil rouge à l'émission et, si elle le désirait, et je l'y encourageais, intervenait en permanence. Gérard Depardieu inaugura la formule le 12 janvier 1991. Il y eut ensuite des hommes et des femmes aussi divers que Vittorio Gassman, Fabrice Luchini (déjà !), Françoise Giroud, Philippe Jeantot, Patrice Chéreau, Jacques Attali, Alain Fondary, Fanny Ardant, Jean Ferniot, Guy Bedos, Hélène Carrère d'Encausse, Pierre-Gilles de Gennes, Jacques Chancel, Joël de Rosnay, Michel Piccoli, et même Élisabeth Grosdhomme, entrée première à Normal sup, reçue première à l'agrégation de lettres et sortie major de l'E.N.A.

Enfin, si les moyens mis à ma disposition par Antenne 2 — qui ne s'appelait pas encore France 2 — n'étaient pas considérables, ils étaient suffisants pour faire une émission de bonne tenue. Plutôt dissipateur dans ma vie privée, j'ai toujours été économe avec l'argent du service public. Le prestige ne se mesure pas à la grosseur de l'enveloppe. D'ailleurs, à la fin du premier exercice de Bouillon de culture, j'avais fait des économies sur le budget qui m'avait été alloué. Pour l'année suivante, mon budget fut amputé des sommes que je n'avais pas su dépenser...

Dès la première émission, la Fnac, contre une somme annuelle dont je n'ai jamais su le montant, qui évolua probablement au fil des années et qui était versée au budget général de la chaîne, fut un partenaire dont j'eus toujours à me flatter de la fidélité et de la valeur intellectuelle ajoutée.

Sans être un échec, au bout d'un certain nombre de semaines et de mois, et quoique la confiance de Jean-Michel Gaillard ne se démentît pas, l'émission n'était pas considérée comme une réussite. Il était évident qu'elle n'avait pas fait oublier Apostrophes dont, par une inévitable comparaison et par nostalgie, elle augmentait le prestige et avivait le reproche qui m'était fait de l'avoir abandonnée.

Ce n'était pas un échec parce que Bouillon de culture créait manifestement chez les téléspectateurs des envies de lecture et de spectacle et réunissait plus d'un million de téléspectateurs (chiffre qui serait considéré aujourd'hui, pour une émission réellement culturelle, comme très

satisfaisant, en raison d'une concurrence devenue pléthorique et féroce).

Mais ce n'était pas une réussite parce qu'on
avait espéré une meilleure audience, que la critique était parfois sévère, que le courrier balan-
çait entre l'éloge et le blâme et qu'il était patent
que je tâtonnais, cherchant un fil d'Ariane.

J'ai, me semble-t-il, commis trois erreurs.

1) Erreur de conception. Le public était dé-
routé par l'abondance des domaines culturels
inventoriés. Il n'y avait pas deux émissions qui
se ressemblaient, alors que les téléspectateurs,
parce qu'ils ont besoin de repères qui les rassu-
rent, aiment retrouver chaque semaine les
mêmes schémas, renouer avec ce qui devient
vite des habitudes. Un jour, le sujet principal
était le cinéma, un autre jour la musique, un
troisième un sujet de société, puis le théâtre,
puis la télévision elle-même, etc. On exigeait du
public trop de curiosité. Le multiculturel n'entraîne pas la fidélité. Ce qui était neuf, et qui me
semblait devoir emporter l'adhésion, déconcer-
tait. Le livre n'étant plus le commun dénomi-
nateur des sujets abordés, l'émission paraissait
flotter, manquer d'assises et de cambrure. Seuls
les boulimiques de mon genre — cependant
plus nombreux qu'on le croit — y trouvaient
leur compte et leur plaisir. La toute première
formule de Bouillon de culture était plus faite

pour un magazine quotidien qu'hebdomadaire. C'est d'ailleurs le schéma sur lequel fonctionne aujourd'hui « Rive droite, Rive gauche », excellent quotidien culturel de Paris Première.

2) Erreur de programmation. Le samedi soir, allez donc retenir l'attention du public, fatigué par le travail de la semaine et qui a un besoin presque physiologique de divertissement, avec un magazine résolument culturel ? L'émission fut repoussée au dimanche, toujours en deuxième partie de soirée. Comment séduire, alors, plusieurs millions de spectateurs en parlant de cinéma, alors que TF 1 diffuse deux films à la suite ? Je balançais entre la volonté de m'en tenir à une certaine exigence éditoriale et la tentation de « faire plus grand public », ce qui n'impliquait nullement de céder à la vulgarité et à l'abêtissement. Mais, pour la première fois, je ressentais des tiraillements du côté de la stratégie. Pour gagner la bataille de l'Audimat le samedi ou le dimanche soir, il aurait fallu, comme aujourd'hui avec « Tout le monde en parle », faire populeux, populard et populacier. Je prétends, non sans fierté, en être incapable.

3) Erreur d'animation. Dans chaque émission quelques journalistes formaient un chœur de critiques et de chroniqueurs, qui donnaient leur sentiment sur des événements, grands ou petits, de l'actualité culturelle. Ce sont eux que je

retrouvais sur la mezzanine. Chacun avait du talent, mais ils formaient une équipe ni cohérente ni assez... bouillonnante pour faire de leur prestation un rendez-vous immanquable, comme avait réussi à le faire Bernard Rapp avec « L'assiette anglaise ». Disons que je n'ai pas su animer le groupe.

Cependant, en dépit d'une programmation pénalisante et des défauts rapportés ci-dessus, l'émission avait acquis la sympathie d'une masse assez impressionnante (pour un magazine culturel) de jeunes gens qui en appréciaient l'éclectisme, la décontraction et pour qui, probablement, le contenu paraissait moins rébarbatif que celui d'Apostrophes. J'ai parfois du regret d'avoir abandonné une formule qui, améliorée, aurait pu séduire encore plus de jeunes téléspectateurs. Mais n'aurais-je pas été tenté d'en abaisser le niveau ?

L'ennui, c'est que trop d'abonnés d'Apostrophes — réaction attestée par le courrier à la presse ou à moi-même — chipotaient, boudaient, renâclaient ou renonçaient.

À leurs yeux, je n'étais plus le même puisque je m'intéressais à d'autres plaisirs culturels que le livre. J'étais un moine assis qui avait prononcé des vœux de fidélité à la littérature et qui, à leur stupeur et à leur réprobation, avait défroqué pour gambiller devant des actrices.

Il n'y a pas plus conservateur que le public. Il m'aimait dans un rôle ; fatalement, il m'appréciait moins dans un autre, pourtant très proche. Commentateur de football pendant les coupes du monde, très bien. C'était une passion de jeunesse, une toquade qui revenait tous les quatre ans, un encanaillement sans importance. Sitôt tues les clameurs des stades, je replongeais dans les bouquins. Mais voilà que je mêlais tout, tout ce qui se lit avec tout ce qui se regarde et tout ce qui s'écoute. Et, Seigneur, pourquoi cette bougeotte ? Assis ! Assis ! Je me suis rassis. Mais j'ai continué longtemps à mélanger les genres.

L'œil du public condamne les animateurs de télévision, à quelques variantes près, à faire toujours la même émission. J'ai longtemps pesté contre ce conformisme auquel il nous assujettit, et puis, tout compte fait, je me suis dit qu'il était valorisant et réconfortant d'être apprécié, non pas pour ce que nous sommes, mais pour ce que nous faisons, quitte à y abandonner un peu d'audace.

Je distingue trois étapes dans l'histoire de Bouillon de culture. La première, liée au samedi, puis au dimanche soir, donc deux ans. C'est à cette époque que la variété des thèmes et des invités justifie le plus le titre de l'émission.

En janvier 1993, retour au vendredi, Bernard Rapp ayant abandonné « Caractères » sur la deuxième chaîne du service public pour créer «Jamais sans mon livre» sur la troisième. L'éclectisme est toujours de rigueur — on passe de Jacques Rivette à Françoise Héritier, de Joël Robuchon à Laurent Terzieff, de Le Clézio à Pierre Soulages, de Miloš Forman à Pierre Goubert, de P. D. James à Sempé, de Frédéric Dard à Umberto Eco, de François Furet à Georges Charpak —, mais les livres sont plus nombreux qu'au début et il arrive même qu'ils occupent tout l'espace.

En 1996, un événement et une rencontre vont accroître considérablement la présence des écrivains dans l'émission et l'amener à ce qu'elle est devenue dans les dernières années : un magazine littéraire avec de temps à autre du cinéma.

L'événement, c'est la crise du livre. Méventes, retours innombrables, plaintes des éditeurs et des libraires, pessimisme des professionnels... On me demande avec insistance si je ne pourrais pas donner un peu plus de place aux auteurs. Ce n'est pas avec deux écrivains de plus sur le plateau, chaque vendredi, que le chiffre d'affaires de l'édition se requinquera.

Ce serait symbolique, pas plus, mais très apprécié. Le cinéma et le théâtre ont-ils besoin de moi ? Non, bien sûr. D'ailleurs, je suis de plus en plus gêné par les cyniques tournées des popotes de l'audiovisuel auxquelles se prêtent

des acteurs, dits « en promo », atteints de psitta-
cisme. La montée en puissance de « Nulle part
ailleurs » (Canal Plus), de LCI et de Paris Première multiplie la diffusion d'extraits de films,
toujours les mêmes, et les interviews, toujours
des mêmes. Je suis dans le circuit et, malgré mes
efforts, beaucoup trop me disent ce qu'ils ont dit
ou diront ailleurs. J'observe par parenthèse que
je suis plus à l'aise pour interroger les metteurs
en scène que les comédiens. Parce qu'il y a chez
les premiers un noyau dur de créativité, d'imaginaire, donc de littérature, qui n'existe pas ou
qui existe plus rarement chez les seconds ?

Un samedi matin, une téléspectatrice m'interpelle dans la rue — la cinquantaine, souriante, à l'aise, que ne lui ai-je demandé son
nom et son adresse ? Elle me dit qu'elle regarde
tous les vendredis Bouillon de culture et qu'elle
apprécie surtout les émissions où je lui fais
découvrir ou retrouver des hommes et des
femmes qu'elle ne voit pas ailleurs. Quand je lui
propose des personnages qui se répandent sur
le petit écran, elle est déçue. La qualité de
l'émission tient à l'originalité et à la rareté de
ses invités. Quoiqu'elle préfère les écrivains à
tous les autres artistes, elle n'est pas hostile au
mélange des sensibilités et des genres, à condition de ne pas lui seriner de nouveau les refrains
dont on lui rebat les oreilles à la radio et à la

télévision. Au revoir, monsieur Pivot, bon courage...

Elle avait raison. J'ai peu à peu suivi son conseil. En cinq ans, n'avais-je pas fait le tour des grands metteurs en scène et des grands acteurs du cinéma français ? Par la suite je n'ai plus invité que les représentants d'un cinéma qui méritait d'autant plus d'être aidé qu'il n'envahissait ni le petit ni le grand écran. Les écrivains sont revenus en rangs serrés. C'est la troisième et dernière période, celle à laquelle Bouillon de culture a ressemblé de plus en plus à Apostrophes. Le tropisme littéraire avait frappé. J'étais de retour dans la bibliothèque du château enchanté.

P. N. – Parfait, on voit très bien le parcours. Mais comment l'avez-vous vécu ? Malgré l'autocritique, fort honnête, votre ton reste résolument tonique. Le téléspectateur, pendant ces dix ans — c'est long ! —, a eu, surtout dans les débuts, le sentiment que vous alliez droit dans le mur. La « magie Pivot » ne fonctionnait plus. Pour un auteur, le passage à Bouillon de culture était devenu moins important qu'à Apostrophes, et ce n'était pas seulement une question d'horaire. La banalisation menaçait. Je veux bien croire que vous n'êtes pas un familier de l'angoisse. Mais quand même, n'avez-vous pas eu pendant tout ce temps-là des moments de franche inquiétude, de découragement, de détresse — bref, des doutes?

B. P. – Et pourquoi pas des remords, pendant que vous y êtes! Comme Georges Brassens chantait qu'il aurait dû rester auprès de son arbre, n'aurais-je pas dû rester auprès de mon livre? Auteur et éditeur, vous aviez deux raisons de me reprocher mon prurit multiculturel; libraire, vous en auriez eu une troisième. Et je vois bien qu'aujourd'hui encore, dans votre désenchantement intellectuel de fin de siècle et qui mord sur le suivant, vous jugez sévèrement mon «lâchage». Dois-je pousser l'autocritique jusqu'à l'épreuve très à la mode de la repentance? Somme toute, vous êtes la personne idoine pour m'infliger la question...

Des doutes, j'en suis bardé, pétri, lesté. Il n'est pas une émission, depuis vingt-huit ans, que je n'ai faite sans douter de mes choix et de mes capacités. Sous des airs sereins, amusés, parfois même désinvoltes, je suis, mais si, «un familier de l'angoisse». Mais c'est de la bonne angoisse, identifiée, agréée, nourrie, qui motive, qui stimule et qui produit assez d'énergie pour aider au bon déroulement de l'émission.

Des moments d'inquiétude et de rage, il y en eut, bien sûr. À cause d'un invité décevant, d'un plateau bancal, d'une audience médiocre ou d'une critique fondée. Mais point de découragement, encore moins de détresse. Je suis plutôt du genre tenace, que les vents contraires ébouriffent sans faire lâcher prise. Plus c'était aléatoire et difficile, plus je travaillais et m'appliquais. Et quand l'émission produisait incontestablement du bel et du bon — Catherine Deneuve avec Jean Tardieu, Stéphane Grappelli, Stephen Hawking, Laurent Terzieff, Louis Malle, Roland Petit, etc., pour vous faire enrager, je ne choisis que des exemples hors du champ littéraire —, mes collaborateurs et moi éprouvions une joie intense qui nous payait de bien des déceptions.

Ce n'est que pendant les deux ou trois premiers mois que nous avons failli «aller droit dans le mur». Après, tout en continuant d'évoluer, l'émission avait imposé ses raisons d'être. Sauf qu'elle n'était plus le rendez-vous des écrivains (il y avait une autre émission pour eux, je le répète, sur la chaîne), et que, si des auteurs y étaient toujours conviés, elle était entrée dans les appétences du cinéma, du théâtre, de la haute couture (Christian Lacroix, Emmanuel Ungaro, etc.) et de la chanson (Jane Birkin, Julien Clerc, etc.).

Pour un auteur le passage à Bouillon de culture est redevenu aussi important qu'un passage à Apostrophes lorsque l'émission s'est recentrée sur les livres. Sollicitée comme jamais par les éditeurs, Anne-Marie Bourgnon a constaté que pour eux une invitation à Bouillon de culture était probablement encore plus capitale que du temps d'Apostrophes. Il est vrai que, dans l'édition comme ailleurs, la pression de l'économie a pesé de plus en plus sur les comportements.

P. N. – Pour le téléspectateur, le vrai problème de Bouillon de culture par rapport à Apostrophes, c'est que le programme, même s'il portait sur une production en cours, paraissait débranché de l'actualité ; donc moins indispensable. Mais pour vous, quelles sont les émissions qui vous paraissent avoir été les plus représentatives de votre projet ?

B. P. – Le programme de Bouillon de culture était aussi naturellement, implacablement, férocement, branché à l'actualité que l'était le programme d'Apostrophes. Pourtant, il vous paraissait « débranché ». Pourquoi ? Parce qu'il vous intéressait moins, parce qu'il évoquait une actualité culturelle à laquelle vous prêtiez une attention distraite, sans rapport avec l'attention constante que vous portez aux livres. Votre remarque est piquante parce que vous formulez d'une autre manière le reproche qui m'était fait par les professionnels de l'édition : ayant pris des distances avec le livre, à leur yeux je m'étais en quelque sorte déconnecté, « débranché », non pas de l'actualité, mais de moi-même.

Les deux émissions les plus représentatives de mon projet — ce qui ne signifie pas qu'elles ont été les deux meilleures, encore qu'elles figureraient dans le peloton de tête d'un palmarès — ont été bâties sur deux films : *La Reine Margot* et *Le Colonel Chabert.* Parce que, dans l'un et l'autre cas, c'était l'occasion de mêler le cinéma, l'histoire et le roman.

Pour *La Reine Margot,* il y avait sur le plateau le réalisateur du film Patrice Chéreau, l'auteur du scénario Danièle Thompson, les interprètes Isabelle Adjani, Daniel Auteuil, Jean-Hugues Anglade, Pascal Gregory, Vincent Perez, l'historienne Janine Garrisson (auteur d'une biographie de Marguerite de Valois) et l'ombre tonitruante d'Alexandre Dumas. C'était une émission comparative : comment un personnage passe de l'histoire du XVIe siècle à un roman du XIXe, puis à un film de la fin du XXe ; comment la reine Margot vit, renaît, se métamorphose dans la fiction tout en restant adossée à l'Histoire, perdure dans l'imaginaire, ressuscite au cinéma avec Jeanne Moreau, puis avec Isabelle Adjani ; et reste une séduisante énigme.

Autre « bouillon de culture » : le colonel Chabert, dans le film d'Yves Angelo. Héros des batailles napoléoniennes et de Balzac, il avait déjà hanté les salles de cinéma — spécialiste de l'Empire et du septième art, Jean Tulard était donc indispensable — avant, éternel rescapé d'Eylau, de réapparaître à l'écran sous les traits de Gérard Depardieu, successeur de Raimu. L'émission aurait pu s'intituler : le cinéma de Balzac. J'adorais « mettre en scène », à mon tour, ces télé-scopages de la culture que l'actualité offre trop rarement. Cependant, il me souvient encore d'une émission où l'on respira les parfums de l'amour et la pestilence du choléra à travers *Le Hussard sur le toit*, film de Jean-Paul Rappeneau, d'après le roman de Jean Giono.

P. N. – Depuis dix ans, la grande mode, pour vos confrères, a été de se faire les producteurs de leurs propres émissions. Pourquoi, vous, ne l'avez-vous pas fait ?

B. P. – Au début des années 1990, un jeune homme, qui alors était de ma famille, m'a beaucoup encouragé à faire comme la plupart des animateurs d'émissions : créer ma propre maison de production. Il avait les compétences pour m'aider. Mais j'y ai renoncé pour deux raisons.

La première, c'est que ce nouvel emploi m'aurait cassé les pieds. Diriger une entreprise, même modeste, c'est lui consacrer du temps qui aurait été pris sur la lecture, les spectacles et la visite des expositions, autrement dit sur ce qui fait mon plaisir de vivre et de travailler. J'aurais probablement gagné beaucoup d'argent, mais en augmentant aussi le nombre de contraintes et d'emmerdements de toutes sortes.

La seconde raison relève de l'esprit d'entreprise. Il me semble qu'en ayant des bureaux en dehors de France 2 et en vendant à la chaîne un produit fabriqué, hors de ses murs, par des collaborateurs, employés et ouvriers rémunérés par ma société, j'aurais eu un autre mode de vie, je me serais peu à peu forgé une autre mentalité qui eût été de plus en plus celle d'un petit chef de la libre entreprise et de moins en moins celle d'un responsable du service public.

Par exemple, j'aurais dû me soucier beaucoup plus de l'audience, des parts de marché, et, pour en conquérir davantage, n'aurais-je pas été dans l'obligation de multiplier les émissions dites de société, privilégier les invités célèbres, et abandonner ce qui rassemble peu de monde devant le téléviseur : la littérature, les sciences humaines, le cinéma d'auteur, etc. ? J'aurais alors renoncé à consacrer des émissions entières à Pierre Soulages, à Chateaubriand, à Jean Dausset, à Jean-Paul Sartre, à Pierre Goubert, à Bronislaw Geremek, aux dissidents chinois. Je ne serais pas allé interviewer Soljenitsyne à Moscou... Car ces émissions ne peuvent se concevoir et se justifier que dans une politique de service public où l'on n'inscrit pas un coût en face d'une audience. Par parenthèse, la seule fois, en dix ans, où j'ai reçu une lettre de félicitations d'un haut responsable de la chaîne, c'est après mon tête-à-tête avec Brigitte Bardot, qui avait réalisé évidemment une audience inaccoutumée...

Rester dans le giron de France 2, c'était réaffirmer que Bouillon de culture ne pouvait pas être considéré comme un magazine de recherche d'audience pour la chaîne et de profit pour moi. C'était, à contretemps, hors des nouveaux usages, continuer de remplir *intra muros* le devoir d'assistance culturelle d'une chaîne d'État aux téléspectateurs.

Le fait est qu'aucun des présidents et directeurs de France 2 qui se sont succédé ne m'a reproché l'audience de l'émission et demandé de faire plus grand public. J'ai toujours joui de leur inaltérable confiance, de leur inépuisable clémence, même si, parfois, ils auraient préféré que le diable m'emporte. La culture me mettait à part. Il n'en eût pas été de même si j'étais devenu, comme d'autres, un boutiquier.

P. N. – Inutile de vous dire que ce langage me plaît. Et que le jour où il n'y aura plus personne pour le tenir... Mais cela s'appelle, somme toute, « exception culturelle ». Jusqu'où la défendriez-vous ?

B. P. – « Exception culturelle » est le mot exact. Les émissions littéraires et magazines culturels sont consubstantiels à la télévision. Mais, avec l'introduction de la publicité sur toutes les grandes chaînes généralistes et la permanente guerre des audiences auxquelles elles se livrent, tout ce qui relève de la création artistique a été éliminé, ou différé après minuit, ou rejeté sur les chaînes du satellite ou du câble. Apostrophes, à 21 h 40, à l'époque, c'était normal ; Bouillon de culture, à 23 heures, c'était de plus en plus anormal, non pas parce que l'heure était tardive, mais parce que par sa nature le magazine paraissait chaque année un peu plus anachronique, *déplacé*, même sur une chaîne publique. La télévision a évolué si vite qu'il faut alerter ses futurs historiens sur une possible méprise : ce n'est pas Apostrophes, à 21 h 40, qui représente une « exception culturelle », mais Bouillon de culture, à 23 heures !

Il n'aurait tenu qu'aux réalistes de l'Audimat, l'émission eût depuis longtemps été supprimée. Elle a été maintenue parce que les présidents de France 2 jugeaient qu'elle était excellente pour l'image de la chaîne et qu'elle méritait, *par exception*, qu'on lui sacrifiât des parts de marché.

À l'avenir, tout magazine de même nature ne sera maintenu, avant minuit, sur les chaînes publiques, qu'au nom de la même « exception culturelle » que la France invoque pour justifier le prix fixe du livre et l'aide au cinéma. L'exception culturelle est faite pour lutter contre des ennemis extérieurs à la librairie et au cinéma ; à la télévision, elle est destinée à la préserver d'elle-même.

P. N. – Vous ne m'avez pas cité, comme les plus représentatives de votre projet, les émissions qui nous entraînaient à l'étranger : au Chili, au Mali... J'ai pourtant grand souvenir de ces acharnés de la langue française que vous avez dénichés dans des contrées aussi improbables que la Géorgie. Là, il y avait quelque chose de vraiment inattendu.

B. P. – C'étaient en effet des émissions singulières, quelques-unes extravagantes dans leur fabrication (se reporter à Bamako et Tbilissi, pp. 320 et 346), dont je garde un souvenir ému parce qu'on y entendait, comme vous dites joliment, des « acharnés de la langue française ».

Mon premier déplacement avait été pour le Staatsoper, en mars 1993, afin d'y enquêter, plus de trois ans après la chute du mur de Berlin, sur la vie d'un opéra, de son orchestre (dirigé par Daniel Barenboïm, qui y est toujours) et de son ballet (dirigé par Michaël Denard, qui n'y est plus), passés sans transition d'une gestion socialiste à une économie libérale.

Quelques mois après, à l'invitation de la Rai Due, je faisais dans ses studios de Rome un « brodo di cultura » qui réunissait des Italiens parlant tous le français — pas difficile à trouver —, dont l'impressionnant critique et historien d'art Federico Zeri, que j'eus le plaisir d'inviter de nouveau à Paris.

En juin 1994, j'étais des animateurs qui avaient, à la demande de la direction de France 2, emmené et installé à Beyrouth leur émission à l'occasion d'une semaine libanaise. J'avais été impressionné par la popularité dont je jouissais dans ce pays francophone et par la faim presque physiologique de culture française que manifestaient des hommes et des femmes rescapés de dix-sept années de guerre civile. Pour la circonstance, Amin Maalouf avait accepté de revenir pour quelques jours dans son pays natal et le Hezbollah avait exceptionnellement ouvert le site de Baalbek pour un enregistrement de la grande chanteuse Feyrouz, à la voix de tragédie et de deuil.

Les émissions de France 2 eurent un tel retentissement au Liban, leurs bienfaits furent si évidents, je fus tellement conscient de l'impact culturel que pouvait avoir un magazine comme le mien, à condition d'être enregistré sur place, avec des écrivains, des intellectuels et des artistes du pays, que je décidai en rentrant à Paris de renouveler l'expérience ailleurs.

À partir de 1994, je pris donc successivement le chemin de Prague (« Qu'avez-vous fait de la liberté ? »), Jérusalem (avec des représentants des trois grandes religions), Tbilissi (j'entends encore une chorale de jeunes enfants chanter *Douce France*, de Charles Trénet), Québec (« le rêve américain contre le mythe français »), Santiago du Chili (de toutes les émissions à l'étranger, la plus difficile à conduire parce que même les exilés de retour au pays évitaient de polémiquer avec ceux qui s'étaient accommodés de Pinochet), Bamako (avec la participation de M. Alpha Oumar Konaré, président de la République du Mali, historien et archéologue), Lisbonne (dans l'extraordinaire palais de Fronteira et en présence de son propriétaire, « le marquis rouge », chez qui se réunissaient les premiers comploteurs de la révolution des Œillets), Bilbao (émission enregistrée au musée Guggenheim), Sydney (sur les sept écrivains et artistes australiens réunis dans un restaurant de la fameuse baie, six parlaient un français impeccable), enfin Sarajevo, lieu dramatiquement symbolique pour une conversation d'intellectuels européens.

Plusieurs ambassadeurs auront la courtoisie de me dire ensuite : « Vous avez plus fait pour la francophonie en une soirée que moi et mes collaborateurs en quatre ans. » Je ne me suis pas pris pour autant pour un ministre français de la Culture en représentation dans le monde, mais j'étais fier d'employer ma notoriété et mon savoir-faire au service d'une cause nationale, au profit d'un bien international : la langue française. Moi qui n'avais jusqu'à présent fait cocorico que dans le football, voilà que je me surprenais, en fin de match, à trouver aux mots roulés dans ma bouche des saveurs patriotiques.

J'ajoute — mais, vous vous en doutez bien — que ces émissions servaient aussi, et même principalement, à ouvrir les téléspectateurs français à des cultures étrangères et à leur faire rencontrer des écrivains et des artistes dont les sensibilités s'inscrivent dans une géographie et une histoire ô combien différentes des nôtres et où il n'était cependant pas rare de déceler des correspondances et des affinités.

Les directions successives de France 2 se déclarèrent favorables à mon entreprise missionnaire, à condition qu'elle ne coûtât pas grand-chose à la chaîne. Comme je n'avais pas

les moyens de louer sur place le matériel néces-
saire à une émission lourde, ni d'emmener avec
moi des techniciens, c'était chaque fois une
chaîne publique du pays élu qui prenait tout en
charge, hommes et matériel, dans une copro-
duction qui lui permettait ensuite de diffuser
elle-même l'émission enregistrée. C'est ainsi
que des chaînes tchèque, australienne, chi-
lienne, israélienne, etc., ont proposé à leurs téléspectateurs — c'est à n'y pas croire ! — un
Bouillon de culture réunissant une demi-douzaine de leurs compatriotes qui parlaient français et dont il fallait, par des sous-titres, traduire
les propos dans la langue du pays...

Équipage, une petite société de production
habilitée à recevoir des aides des ministères de
la Culture et des Affaires étrangères, organisait
très bien ces expéditions au départ un peu
humiliantes puisqu'il fallait demander l'aumône
à des pays souvent moins riches que la France,
ensuite exaltantes par l'enthousiasme, la fierté
et les qualités professionnelles dont ces pays faisaient preuve dans l'élaboration, l'organisation
et la réalisation de nos raids culturels.

Pourquoi acceptaient-ils un marché qui d'évidence ressortissait plus au mécénat qu'à un
échange commercial équitable ? Parce que TV 5,
qui diffuse dans le monde entier un choix de programmes issus des chaînes des grands pays fran-

cophones, et dont on ne soulignera jamais assez le rôle capital qu'elle joue pour le rayonnement du français, avait fait d'Apostrophes et de Bouillon de culture des émissions chères aux francophones, et dont la réputation rendait admiratifs les non-francophones. Je vous le dis sans fausse modestie : de mes hôtes j'obtenais sur mon nom des avantages, des générosités qui leur paraissaient d'autant plus légitimes qu'ils s'estimaient gratifiés par le choix que j'avais fait de leur pays. Il eût été stupide de ne pas en profiter.

P. N. – Votre départ est une apothéose, un deuil national ! Avec vous, c'est la fin de la belle époque de la télévision, que vous aurez vécue et incarnée. Mais si reconnaissance vraiment nationale il y a, c'est, pour moi, qu'elle s'adresse à une personnalité véritablement représentative du meilleur des valeurs nationales : sociabilité enjouée, culture gourmande et sensuelle, fraîcheur de curiosité, goût artisanal du travail bien fait. Et là-dessus le foot, le vin, la bonne chère, la province profonde. Vous avez ainsi fait le plein des deux publics, le populaire et le sophistiqué. À mes yeux, c'est ce qui vous rend irremplaçable : il y a en vous un concentré de Français. En êtes-vous conscient ? Est-ce tout à fait spontané ou avez-vous légèrement travaillé le personnage ?

B. P. – Amusons-nous : d'un animateur d'émission littéraire quels signes extérieurs attend-on *logiquement* ? Fils d'un couple de professeurs, il a été élevé dans le Médoc ; il a fait ses études à la Sorbonne ; il a été un joueur de tennis classé ; il a publié des livres qui ont été remarqués ; on le rencontre dans des symposiums intellectuels où il parle avec autant d'autorité de Godard, de Brecht, de Matisse que de Proust ; enfin, il laisse entendre que, pour importante qu'elle soit, son émission n'est que la partie visible de son travail et de sa personnalité.

Je suis très loin de ce portrait-robot idéal. Parents petits commerçants, une enfance beaujolaise, une jeunesse lyonnaise (la gourmandise) ; d'innombrables matches de foot dans les gambettes ; pas d'études supérieures, sinon un diplôme du C.F.J. (Centre de formation des journalistes) ; un seul et unique roman passé normalement inaperçu ; du journalisme à plein temps dans la presse écrite, à la radio et à la télévision ; et, enfin, une préférence marquée pour les dîners amicaux et les débats œnologiques plutôt que pour les réunions intellectuelles et les sociétés savantes.

Donc, c'est vrai, un concentré de Français, en quoi des millions d'autres peuvent se reconnaître, sauf que s'y est ajoutée une boulimie de lecture peu commune. Pendant longtemps, certains se sont demandé si le mélange de la littérature avec le beaujolais et le football était bien convenable, si je n'avais pas fait du tort à Nabokov et à Yourcenar et si je ne continuais pas à rabaisser d'Ormesson, Nourissier, Modiano, Le Clézio, Rinaldi, Sollers, Nothomb, etc., en buvant un vin de jeu de boules (comme si je n'en aimais pas d'autres!) et en regardant un sport vulgaire (la France n'était pas encore championne du monde).

Autrement dit, mes goûts en dehors du livre me disqualifiaient pour parler de celui-ci...

Non seulement je n'étais pas de la *paroisse*, comme je vous le disais il y a dix ans (p. 148), mais mon identification avec le Français moyen m'en éloignait beaucoup.

Au fil du temps, tout cela a été oublié. La réussite et la durée, plus l'âge, m'ont donné une légitimité qu'ensuite plus personne n'a contestée.

Et c'est précisément parce que le public se reconnaissait en moi, que j'étais de son côté, que je n'étais qu'un lecteur, qu'il m'a accordé une confiance qui ne s'est jamais démentie. Sans jamais « travailler le personnage » — mais la presse préférait publier des photos où j'étais au stade ou dans mes vignes plutôt qu'à l'opéra ou dans une exposition —, paradoxalement mon goût des choses simples de la vie a ajouté à mon crédit pour questionner des hommes et des femmes qui écrivent sur les choses compliquées de la vie.

Quant au public lettré, y compris les écrivains, c'est par le travail, par la lecture, par mon professionnalisme artisanal, probablement aussi parce que je n'étais pas du sérail, parce que enfin j'avais la confiance du public populaire, que j'ai conquis et conservé la sienne.

Permettez-moi d'ajouter ceci : je suis tellement redevable à la culture en général et à la lecture en particulier, elles m'ont apporté tant d'heures magnifiques — au total, mises bout à bout, combien d'années ? — que j'ai toujours considéré de mon devoir d'inviter le public, de l'exhorter à partager avec moi ces plaisirs, ces découvertes, ces aventures de l'esprit. D'où, souvent, l'aspect pédagogique, le prosélytisme de mes émissions. Comme si je payais une dette... Je crois que les gens perçoivent cette implication sentimentale, cet engagement presque.

Alors, irremplaçable ? S'il s'agit de trouver mon clone, oui. Mais j'espère bien être remplacé par quelqu'un qui, usant d'un ton différent, avec d'autres méthodes, avec les mêmes qualités ou d'autres, paraîtra peu à peu, lui ou elle aussi, « irremplaçable ».

P. N. – Donc vous partez. Mais laissez-moi rêver à un troisième Pivot. Si vous aviez, par exemple, toute liberté pour faire, dans un cadre thématique, une chaîne culturelle, comment l'organiseriez-vous et quelle place y feriez-vous aux livres ? Voyez-vous une autre manière d'en parler que de faire parler leurs auteurs ?

B. P. – Craignant que le livre ne soit bouffé par le cinéma et par la chanson, je lui accorderais toute la place, autrement dit — vous me demandez de rêver, de délirer, n'est-ce pas ? — je bâtirais une chaîne entièrement consacrée au livre et à la lecture.

Énorme activité de plateau en direct, le soir, de 19 heures à minuit et même plus tard. À chaque genre littéraire sa soirée, par exemple, le lundi le roman français, le mardi l'histoire et la biographie, le mercredi la bd et la poésie, le jeudi le roman étranger, le vendredi les sciences et les sciences humaines, le samedi les documents (le dimanche on propose un florilège de la semaine). Interviews d'auteurs en direct, bien sûr, mais aussi reportages au domicile des écrivains ou dans des lieux dans lesquels l'auteur a placé son récit ou dont il raconte l'histoire.

Il faudrait insuffler à cette chaîne le dynamisme, l'alacrité, la pétulance, la diversité qu'on trouve à l'intérieur des livres mais dont on ne les crédite pas d'emblée à cause de leur immobilité parallélépipédique. C'est pourquoi il faudrait recevoir, quel que soit le thème de la soirée, l'auteur du « livre du jour » — celui qui le jour même ou dès le lendemain fait ou fera événement, serait-ce précisément à cause de son passage sur la chaîne.

On peut concevoir chaque soir, à partir de 22 heures, un débat de critiques — plus des libraires, plus des lecteurs, pourquoi pas — sur un ou plusieurs livres, en l'absence des auteurs. Un « Masque et la plume » littéraire quotidien.

Enfin, des chroniques, des informations, des échos — le mot du jour (chronique du langage), la phrase du jour, les anniversaires littéraires et historiques du jour, des correspondances de l'étranger, des billets de la francophonie, les livres sur le Web, les nouveaux films adaptés de romans, etc., enfin tout ce qui fait vivre et rend changeant, surprenant, passionnant, le monde du livre.

Le matin, on rediffuserait le programme de la veille.

Et l'après-midi ? C'est là que je sors mon utopie.

La chaîne ouvrirait, quelque part dans Paris, un peu à la manière du « Circulo de Bellas Artes », de Madrid, un lieu de rencontres et de lectures, un café littéraire, où qui voudrait — acteurs, écrivains, lecteurs, amoureux anonymes du livre — viendrait lire, en public, ce qui lui plairait : extraits de classiques, d'ouvrages d'actualité, de journaux intimes, d'inédits, de manuscrits, poèmes, etc. Une caméra fixe enregistrerait le tout et la chaîne diffuserait ce qui lui paraîtrait le plus intéressant. Le direct serait probablement un peu risqué, mais pourquoi pas, après tout ?

Il faudrait faire de ce lieu de lecture publique un endroit à la mode, en activité, par exemple, de 18 heures à minuit. Chacun viendrait avec un livre ou un manuscrit ou choisirait un livre sur place. Cinq à sept minutes de lecture pour chaque personne, pas plus. Alternance de lecteurs et de textes très différents. Parfois, ô surprise, dans une suite de visages et de voix inconnus, le visage et la voix d'un homme célèbre, d'une femme populaire, dans quelque domaine que ce soit : politique, économie, sport, mode, télévision, sciences, etc. Le téléspectateur de l'après-midi ou de la nuit aurait la même surprise que l'auditeur du café.

À la manière de la lecture collective et publique annuelle, à Madrid, du *Don Quichotte*, on pourrait aussi, de temps en temps, organiser une soirée de lecture d'un seul livre (toute la nuit s'il est long), plusieurs dizaines de lecteurs se relayant. Une soirée *Le Grand Meaulnes*, une soirée *Bonjour tristesse*, une soirée *Paludes*, etc.

Il me semble que je serais un passager assidu

de ce « bateau-livre », aussi bien dans sa version de café flottant que dans sa traduction de chaîne ondoyante de la lecture.

On pourrait aussi l'après-midi, sur notre chaîne du livre, faire du pratique : lundi les ouvrages de décoration, pour la maison ; mardi, de cuisine ; jeudi, de bricolage ; vendredi, de jardinage et de plein air ; samedi, de photo, de dessin et autres activités pour le corps et pour l'esprit, l'après-midi du mercredi étant réservé aux livres pour enfants.

Enfin, pour compléter le programme de notre chaîne imaginaire, on y accueillerait volontiers des rediffusions d'anciennes émissions littéraires (« Lectures pour tous », « Bibliothèque de poche », « Boîte aux lettres », Apostrophes, Bouillon de culture, etc.) et de chefs-d'œuvre du cinéma nés du génie solitaire et silencieux des romanciers.

Rêve terminé. On se réveille ?

Souvenirs
en toutes lettres

A

Allen

Woody Allen me fixe de ses yeux de chien triste et me dit : « Mais je vous connais ! » Non, c'était la première fois que nous nous rencontrions. Toute l'émission lui était consacrée pour la sortie de *Coup de feu sur Broadway*. « Je sais où je vous ai vu : à New York, sur une chaîne du câble. » Bouillon de culture, comme Apostrophes, passe en effet chaque semaine sur la chaîne Cuny TV. Je lui dis qu'il doit être un zappeur frénétique et qu'il a une extraordinaire mémoire des visages. Il en convient. Alors qu'il était inquiet de participer à une émission, très longue, qu'il ne connaissait pas, le voici maintenant un peu rassuré, d'autant que, dans quelques minutes, il va revoir Charlotte Rampling qu'il a fait jouer dans *Stardust Memories*.

Woody Allen gardera un si bon souvenir de son passage qu'il fera demander si j'aimerais l'accueillir une deuxième fois (pour *Harry dans tous ses états*). Yes, Woody, of course, d'autant que Harry Block est un écrivain insupportable et drôle dont les amis sont furieux de se retrouver dans ses livres. Le thème de l'auteur indiscret ne pouvait qu'intéresser Julia Kristeva, Philippe Sollers et François Weyergans, qui donneront la réplique au génial cinéaste américain.

B

Bamako

Alors que la nuit tombait sur la capitale du Mali, sur les eucalyptus, les bananiers et les karités du jardin du Musée national, une griotte, entourée de dizaines de griots et de griottes, entonna un chant d'accueil et d'hommage aux invités de l'émission pendant que ceux-ci se faufilaient entre les chaises, les arbres, les projecteurs et les caméras.

« Mon aîné » avait évidemment pris place à ma

droite. Ainsi le chef des griots de Bamako, en djellaba bleue à parements jaunes, appela-t-il, par respect et avec familiarité, le président de la République, M. Alpha Oumar Konare.

J'arbitrai, et le Président observa et commenta, un vrai débat entre les traditionnels et les modernes sur la place de la lecture et de l'écriture dans la vie malienne. Celui qui lit ou qui écrit s'écarte et se coupe de la famille, du clan, du village. Cet isolement, s'il est long et quotidien, est très mal jugé par les tenants — principalement les griots, «maîtres de la parole» — d'une société dans laquelle règnent la proximité et la palabre. Lire et écrire, c'est se soustraire à la loi commune, c'est échapper au regard et à la parole des autres, c'est se rebeller. La culture moderne passe évidemment par la transgression de cet ordre séculaire. L'un des écrivains expliqua que, pour s'y conformer et pour ne pas encourir la colère du griot ou les reproches de sa famille, il n'écrivait que la nuit, quand tout le monde dormait.

Combien de fois ai-je lu dans nos livres de Mémoires occidentaux que le père ou la mère reprochait à son enfant, qui deviendra écrivain, d'avoir toujours un livre entre les mains, d'être toujours «absent», «ailleurs»? Lire et écrire, c'est être égoïste.

La réalisation de l'émission de Bamako ajoute

à son caractère particulier et à sa mémoire. Comme pour tous les Bouillon de culture faits à l'étranger, le réalisateur, Michel Hermant, et la scripte, Miléna Hirsch, n'ont travaillé qu'avec des techniciens du pays, lesquels s'estimaient, au départ, incapables de filmer pendant une heure et demie en continu. Avec patience, et en prenant le temps qu'il fallait, Michel Hermant les a guidés, rassurés, stimulés. Tout s'est très bien passé. Après, il fallait voir les visages rayonnants des cadreurs, des preneurs de son, des éclairagistes, etc., de la télévision malienne, fiers de signer une émission qui leur paraissait inaccessible. Nous les avons quittés déterminés et ambitieux.

C

Contre la haine

Tel était le titre d'un très cosmopolite Bouillon de culture réunissant Roberto Benigni, metteur en scène italien de *La vie est belle* ; Émile Shoufani, palestinien chrétien de nationalité israélienne — eh ! oui, ça existe —, curé de Nazareth ; George Steiner, philosophe et écrivain juif anglais, intellectuel européen ; et

Gotfried Wagner, arrière-petit-fils de Richard, dénonciateur de l'antisémitisme de sa famille. Pas un Français, mais tous s'exprimaient dans la langue d'André Gide.

Entre ces quatre fortes et si différentes personnalités il y eut contre la haine et la bêtise, pour l'intelligence et la fraternité, des échanges à la fois profonds et savoureux, qui n'ont pas changé le destin du monde, mais qui faisaient rudement plaisir à entendre. Je me souviendrai toujours de Roberto Benigni écoutant, fasciné, le dialogue du curé palestinien avec le philosophe juif anglais et qui me demanda, alors que je lui donnais la parole, de l'oublier pour que les deux autres continuent leur mutuel et chaleureux questionnement.

Pour réunir ces quatre invités à Paris, tous entre deux avions, j'avais dû enregistrer l'émission, pour la première fois un matin. Je suis prêt à récidiver si le résultat est aussi exaltant.

D

Duos

Je ne peux pas évoquer sans nostalgie trois duos de grands comédiens. D'abord, parce

que sur les six quatre ont disparu ; ensuite et
surtout parce que, sans rien dire qui fut inouï
ou mémorable, ils étaient si heureux de dialoguer, d'échanger des souvenirs, qu'une
sorte de grâce s'était installée sur le plateau,
soudain enchanté. Il y eut, en décembre
1991, Fany Ardant et Marcello Mastroianni ;
en janvier 1993, Michèle Morgan et Jean
Marais ; enfin, en décembre 1992, Edwige
Feuillère et Vittorio Gassman. Merci à eux
tous.

E

Espagne

Un intrépide éditeur de Barcelone, M. Gon-
zalo Herralde, a acheté à l'Ina les entretiens
que j'ai réalisés pour Apostrophes avec Nabokov, Duras, Simenon, Cohen et Yourcenar.
Sous-titrées en castillan et en catalan, les cassettes sont en vente en Espagne, au Portugal
et dans toute l'Àmérique latine. Imagine-t-on
un éditeur de Paris commercialisant des interviews sonores d'écrivains espagnols, sous-
titrées en français ?
Une initiative aussi hardie et risquée méritant

d'être soutenue, j'ai passé deux jours, en mars 2001, à Madrid et à Barcelone pour raconter des souvenirs sur ces cinq auteurs.

Rien ne me dérange plus que de passer aux yeux de mes confrères étrangers pour un phénomène, une sorte d'Astérix ayant inventé la potion magique des émissions littéraires. Combien de fois leur ai-je répété qu'il est trop facile pour les chaînes de télévision de justifier l'absence de magazines sur les livres par l'impossibilité de trouver des animateurs, alors qu'elles en dénicheraient sûrement un ou deux si elles étaient réellement animées par une volonté politique d'ouvrir leurs programmes à la culture ?

Un journaliste me demanda le nom du dernier écrivain espagnol invité à Bouillon de culture. C'était, une semaine auparavant, Jorge Semprun pour *Le mort qu'il faut*.

Silence gêné de mon interlocuteur.

— Ah ! c'est vrai, dis-je, Semprun écrit en français...

— Bon, je précise ma question : quel est le dernier écrivain de langue espagnole que vous avez invité ?

— Zoé Valdés.

Nouvel embarras du journaliste.

— Ah ! c'est vrai, dis-je, j'oubliais qu'elle est cubaine...

— J'aurais dû vous demander, reprit-il en riant, quel est le dernier écrivain espagnol de langue espagnole que vous avez invité…

F

Fidélité

Qu'ajouter au portrait que j'ai fait d'Anne-Marie Bourgnon à la fin d'Apostrophe (p. 179) ? Sinon qu'elle m'a accordé sa confiance dix années de plus et qu'elle a accru son influence à mes côtés en s'occupant du théâtre et en étant le relais de plus en plus incontournable entre les attachées de presse de l'édition et moi.

Pierre Boncenne est entré dans ma vie professionnelle en 1975, dès les débuts de *Lire* et d'Apostrophes. Pendant plus d'un quart de siècle, il a été, pour la télévision, un conseiller littéraire avisé, imaginatif, dont la curiosité très éclectique et la culture vaste et précise ont suppléé mes manques, tout en apportant à la construction des émissions une sensibilité à la fois différente et proche de la mienne.

G

Gratteur de têtes

Le seul roman que j'ai écrit, très jeune, et publié *(L'Amour en vogue)* avait pour héros un gratteur de têtes dans un train fantôme. Debout derrière un chariot lancé dans une caverne sombre peuplée de créatures menaçantes, il passait sa main dans les cheveux des jeunes filles pour leur faire peur.

Il me semble que, pendant vingt-huit ans, des débuts d'« Ouvrez les guillemets », en avril 1973, à la fin de Bouillon de culture, en juin 2001, je n'ai cessé de gratter les têtes des téléspectateurs, non pour les effrayer, mais pour éveiller leur esprit, réveiller leur matière grise, y activer la circulation des idées, développer leur imaginaire, stimuler leur intelligence.

Gratteur de têtes à la télévision est un très beau métier.

H

Hallier

Dois-je à Jean-Edern Hallier, son plus féroce mais aussi son plus inélégant adversaire, l'entretien que François Mitterrand m'accorda sur les grands travaux de son double septennat ?

Voici les faits et les suppositions.

À la fin de l'année 1994, j'avais fait savoir à l'Élysée que j'accueillerais volontiers le Président pour un bilan culturel de ses deux mandats. Je ne me faisais guère d'illusions, car nous étions plusieurs dizaines de journalistes français et étrangers à espérer un « scoop » analogue et je n'étais pas un familier de François Mitterrand. Deux Apostrophes avec lui, un grand entretien pour *Paris-Match*, c'est tout. Aucune visite privée. Dans la course à la dernière interview télévisée du Président, de plus en plus malade et économe de ses forces, des confrères reçus fréquemment à l'Élysée ou rue de Bièvre étaient mieux placés que moi. Pourtant, à mon étonnement, je fus choisi.

Pour préparer cet entretien qui ne porterait

que sur les grands travaux, je fus convoqué à l'Élysée un après-midi. La conversation ne dura qu'un quart d'heure. Quand je dis à François Mitterrand qu'on parlerait aussi, pendant l'émission, du livre d'entretiens qu'il venait de faire paraître sous sa signature et celle d'Elie Wiesel, il eut une petite coquetterie d'auteur : « Oh ! mais ce n'est qu'un tout petit livre. Enfin, si vous y tenez ! Ça fera plaisir à Elie Wiesel... »

En prenant congé de lui, je n'ai pas pu m'empêcher de lui poser la question : à qui ou à quoi devais-je la faveur qu'il allait m'accorder ? Il a plissé les yeux et, dans un sourire malicieux, a susurré : « Devinez... »

J'ai cherché longtemps. Pour finalement hasarder cette explication. J'étais sur la liste des personnes écoutées illicitement par les grandes oreilles de l'Élysée. Ce n'était pas moi qui étais surveillé, bien évidemment, mais Jean-Edern Hallier qui, à ce moment-là, me téléphonait souvent pour me parler du brûlot qu'il avait écrit sur François Mitterrand et me demander de l'inviter quand il paraîtrait.

Je reçus le manuscrit qui s'ouvrait sur une dédicace sublime de perfidie : « À Michel Rocard, comme convenu. » C'est en parcourant cette longue mélopée assassine que j'appris l'existence de Mazarine, fille secrète du

Président. J'étais indigné, non par les frasques de François Mitterrand, mais par le projet de Jean-Edern de les déballer en public. J'eus plusieurs fois l'occasion de lui dire au téléphone mon opposition à cette violation de la vie privée, fût-ce celle d'un président de la République, et ma réprobation de sa scandaleuse initiative.

Ai-je été « écouté » à l'Élysée ? En eut-on plus tard de la reconnaissance ? Suis-je le seul à pouvoir me féliciter de l'intrusion scandaleuse de François Mitterrand dans le verbe de quelques centaines de ses sujets ?

I

Internet

On ne parlait pas encore des internautes, mais des « netsurfeurs ». En février 1996, l'Internet implosait dans les conversations. Les premiers livres pour le grand public paraissaient ici et là. Comment ne pas consacrer une émission à ce média qui était en train de bouleverser le monde de la communication ? Courage, allons-y ! Ce fut plutôt un ratage. Parce que

j'en maîtrisais mal les problèmes et les enjeux.
Erreur de journaliste impatient.

J

Jacquet

Si, au lieu d'avoir le très rural accent stépha-
nois, Aimé Jacquet avait eu l'accent parigot
ou, mieux, provençal, ses propos, donc ses
actes, auraient beaucoup moins suscité l'ironie, voire l'hostilité, de certains journalistes.
La victoire de l'équipe tricolore, en finale de
la Coupe du monde de football, fut aussi
la revanche d'une certaine France du centre,
géographique, politique, éthique, sur les
débordements par les ailes.

Aurais-je pu ne pas inviter Aimé Jacquet pour
la publication de son autobiographie et ne pas
l'entourer d'écrivains amateurs de football?
Évidemment, non. Cela me valut dans *Télérama* un carton rouge. N'y avait-il pas, pour ce
vendredi-là, des auteurs plus littéraires? Fallait-il promouvoir un homme et un livre sans
rapport avec la culture?

Dix jours après, *Télérama* affichait Aime Jacquet sur sa couverture...

L

Luchini

Chacun dans son registre, George Steiner et Fabrice Luchini sont deux phénomènes. Dans la première partie de l'émission, le comédien écouta, fasciné, l'intellectuel dérouler avec brio une pensée vigoureuse, originale et subtile ; dans la deuxième partie, l'écrivain écouta, médusé, l'acteur raconter avec maestria son commerce inspiré et pénétrant avec les écrivains qu'il aime.

Une autre fois, Fabrice Luchini fit plus pour la gloire et la lecture de La Fontaine que tous les instituteurs et professeurs pendant dix ans. Dans une émission de Michel Drucker, j'ai eu l'occasion de lui déclarer qu'il est le meilleur prof de lettres qu'on puisse rencontrer. Que ce soit sur scène ou à la télévision, il dit les textes avec tant d'intelligence et de conviction, il les commente avec tant de perspicacité, d'humour également, qu'on se précipite sur les œuvres de Nietzsche, de Céline, de Baudelaire, de La Fontaine, etc., pour prolonger l'enchantement.

Mais ce diable de Luchini présente un danger : donner à croire qu'écrire est facile et que le génie est au bout de chaque stylo ou sur les touches de tous les ordinateurs. Je le soupçonne de susciter de nombreuses envies d'écrire, alors qu'il semble bien, aujourd'hui, en France, que le nombre d'auteurs, publiés et surtout impubliés, dépasse le nombre de lecteurs...

M

Mitterrand

Le dernier entretien de François Mitterrand pour la télévision a été enregistré le mardi 11 avril 1995, au Village de la Communication, à Saint-Ouen, en fin d'après-midi, pour une diffusion trois jours après.

Le Président n'était pas dans un bon jour, si on pouvait appeler ainsi une journée où son cancer se faisait oublier. Accompagné d'un médecin et de ses plus proches collaborateurs, il était arrivé pâle, épuisé, grimaçant. L'effort physique et psychologique auquel il s'obligeait pour tenir sa promesse se lisait trop bien sur son visage. J'en étais ému et déconcerté. Dans son entourage, certains doutaient qu'il pût rester plus d'un quart d'heure sous le feu des projecteurs et de mes questions. Toute position lui était incommode. Une émission de télévision, quel qu'en soit le sujet, valait-elle ces souffrances ? J'avais visiblement mauvaise conscience puisque François Mitterrand s'en est aperçu.

— Faites comme vous devez faire ! me dit-il. Ne me ménagez pas, posez toutes les questions que vous voulez me poser.

Au début, c'était difficile, et pour l'un et pour l'autre, mais pas pour les mêmes raisons, et pas avec la même intensité. J'essayais d'installer l'entretien dans la durée alors que le Président, ne sachant pas pendant combien de temps il aurait assez de force pour s'exprimer, disait d'emblée ce qui lui paraissait essentiel dans sa politique des grands travaux. Je freinais, lui accélérait.

Et puis, petit à petit, la conversation a pris du rythme, un ton, François Mitterrand étant de plus en plus à l'aise et disert. Au fur et à mesure qu'il parlait, il se rechargeait comme une batterie. Les mots lui apportaient plus de force qu'ils ne lui en retiraient. À un moment, environ une demi-heure après le début, j'ai ressenti une impression bizarre : il me pompait de l'énergie ! Il me semblait qu'à son appel je lui communiquais de la vitalité. Dans ma tête, je me disais : «Allez-y, monsieur le Président, servez-vous tant que vous voulez. Mais tenez le coup...» Il a tenu les soixante-quinze minutes !

Il a même donné l'impression de prendre du plaisir à évoquer le Grand Louvre et la Corderie royale de Rochefort — plus que l'Opéra Bastille et Bercy... Il jouait de ses mains, il ripostait, il ironisait, et quand il monologua, à propos de son livre dialogué avec Elie Wiesel, sur son enfance et sur la foi, il fut aussi éblouissant qu'aux plus beaux jours. Avec, en plus, une sincérité dépouillée, nue, bouleversante. C'est du moins ce que j'ai ressenti de l'autre côté de la petite table qui nous séparait.

Je l'avais ressenti si fort que j'avais peu à peu oublié que je m'adressais à un homme souffrant. Lui aussi, me semble-t-il, avait peu à peu oublié son état de santé. C'était faux, car Jean-Pierre Elkabbach, président de France-Télévision, qui assistait en coulisses à l'enregistrement, me confia plus tard que le Président déclara à ses proches qu'il avait failli plusieurs fois arrêter l'entretien. Peut-être avais-je eu la chance de le relancer au bon moment?

Il est certain que François Mitterrand adorait la conversation, dont il était un stratège et un dégustateur, et que, même malade, elle le dopait plus qu'elle ne l'épuisait. La marge fluctuante entre ce que la conversation lui apportait : plaisir de parler, justifications, confidences, reparties, etc., et ce qu'elle lui retirait, des forces essentiellement, restait toujours positive, de sorte que notre entretien put courir d'un seul jet.

Pendant que défilait le générique de fin, nous étions restés à nos places en continuant de parler. C'est alors que Francis Mortier, qui travaillait pour Bouillon de culture, prit quelques photos. Aucun rapport avec celles faites avant l'émission. François Mitterrand était détendu, serein, souriant. Heureux ? Probablement.

O

Olibrius

« Individu qui se distingue par une excentricité stupide » *(Le Petit Larousse)*, un olibrius se leva soudain du public et, face à moi, debout, un couteau sur la gorge, menaça de se la trancher si Lionel Jospin, alors ministre de l'Éducation nationale — c'était le 15 mars 1992 —, ne retirait pas illico son projet de réforme de l'enseignement.

On ne peut pas traiter un tel incident par le mépris. Ni par la force ni par le rire. N'y eût-il qu'une probabilité sur un million que ce jeune homme passât à l'acte, je n'allais pas courir le risque de le voir s'immoler en direct. Comme dans les prises d'otage — mais cela se dénoua heureusement plus vite —, il faut dialoguer et patienter. C'est ce que nous avons fait pendant une petite dizaine de minutes — l'antenne ayant été coupée au bout de trois ou quatre. Entre-temps, ne menaçant que lui-même, il s'était agenouillé en pointant le couteau sur son ventre. Je me rappelle m'être dit : peut-être son arme n'est-elle qu'un jouet ?

C'était un vrai couteau, avec une lame bien aiguisée, qu'il finit par jeter par terre avant de quitter le plateau et le siège de France 2 sans être interpellé par quiconque.

L'émission reprit apparemment comme si de rien n'était. En vérité, nous n'étions plus dans de bonnes dispositions psychologiques pour parler de... l'œil à travers l'ophtalmologie (professeur Yves Pouliquen), la photographie et le cinéma. Marqués par l'incident, des téléspectateurs m'ont affirmé que leur attention avait ensuite été défaillante.

Invité de référence de l'émission pour un livre vraiment de circonstance (*Le Crépuscule des masques*), Michel Tournier, à qui je téléphonai quelques jours après, me dit, sans trop plaisanter, qu'il était parti humilié, car l'olibrius ne l'avait pas menacé, ne l'avait même pas regardé et ne s'était intéressé qu'à moi.

P

Papillon

À l'hôpital maritime de Berck, chambre 119, il y avait le plus étrange des écrivains. Le plus émouvant aussi. Jean-Dominique Bauby avait été victime, à l'âge de quarante-quatre ans, du très rare *locked-in-syndrom*, une attaque qui l'avait entièrement paralysé, à l'exception de sa paupière gauche. Prisonnier de son corps qui n'était qu'un scaphandre, il avait gardé un esprit intact, vif, qui ne pouvait communiquer qu'en battant de cette paupière gauche, tel un papillon.

Publié en mars 1997, *Le Scaphandre et le papillon* avait été dicté lettre par lettre par Jean-Dominique Bauby à une assistante-rédactrice, Claude Mendibil, selon un « alphabet du silence ». Le réalisateur Jean-Jacques Beineix avait eu l'autorisation, avec l'accord et la participation de l'héroïque gisant, de tourner un film — admirable de dignité et d'émotion, de beauté aussi — sur la manière dont il survivait et « écrivait » son livre.

Assigné à résidence, titre du film de Beineix, fut projeté au cours d'une émission spéciale entièrement consacrée à Jean Do, ainsi que l'appelaient ses amis et confrères du magazine *Elle*. Malheureusement, alors qu'il tenait le coup depuis quinze mois, sa paupière s'est définitivement immobilisée la semaine même de la publication du livre, quelques jours avant l'émission.

Q

Questionnaire

Une émission en direct, c'est comme la grève : il faut savoir la terminer. Mais comment ? J'ai imaginé un questionnaire, qui n'emprunterait aucune des questions de celui, célébrissime, de Proust, et que je soumettrais *in fine* aux invités de référence ou d'honneur. Le génie de l'improvisation étant peu répandu, le texte des dix questions leur était envoyé. D'ailleurs, très vite, tout le monde les connaissait, surtout la dernière, la plus intrigante et la plus difficile.

Voici ces dix questions dans l'ordre où elles étaient posées.

1) Votre mot préféré ?

2) Le mot que vous détestez ?

3) Votre drogue favorite ?

4) Le son, le bruit que vous aimez ?

5) Le son, le bruit que vous détestez ?

6) Votre juron, gros mot ou blasphème favori ?

7) Homme ou femme pour illustrer un nouveau billet de banque ?

8) Le métier que vous n'auriez pas aimé faire ?

9) La plante, l'arbre ou l'animal dans lequel vous aimeriez être réincarné ?

10) Si Dieu existe, qu'aimeriez-vous, après votre mort, l'entendre vous dire ?

Un seul invité eut à répondre aux dix questions sans les connaître : Woody Allen. Il s'en tira très bien, on s'en doute. Sa drogue favorite : l'aspirine. Le mot détesté : hello ! Et il aimerait bien se réincarner dans une éponge. Pourquoi ? « Parce qu'une éponge, c'est joli, ça gonfle et ça n'a pas de prédateur. »

À la question : « Votre drogue favorite ? », Patrice Chéreau répondit franchement : « La cocaïne. » Cela provoqua un abondant courrier de protestation.

Jean-Claude Brisville tua la dernière question par une réponse terrible et insurpassable. Il aimerait entendre Dieu lui dire : « Pardon ! »

Mon confrère américain James Lipton, dans sa brillante émission de « L'Actor's Studio », diffusée en France sur Paris Première, termine lui aussi ses entretiens avec les plus grands comédiens américains, en leur proposant quelques-unes de mes questions. Il n'oublie jamais de me citer en accompagnant mon nom de propos si flatteurs que je crois, chaque fois, que lui ou son invité va me remettre la statuette de l'Oscar...

R

Rushdie

Le 16 février 1996, il y eut un heureux et un malheureux hasard.

Il était heureux de pouvoir réunir Salman Rushdie — avec tous les moyens habituels pour le protéger des fous d'Allah — avec deux autres grands écrivains : Umberto Eco et Mario Vargas Llosa.

Mais il était malheureux que, ce vendredi-là, l'émission fût programmée tardivement, à 23 h 20, parce qu'elle était précédée d'une émission de Mireille Dumas, «Bas les masques», qui durait plus de deux heures. Son sujet : les transsexuels.

Beaucoup de journaux protestèrent contre cette programmation «indigne du service public», le sexe rejetant loin dans la soirée la littérature représentée par trois prestigieuses signatures. Pourquoi ne pas inverser l'ordre des deux émissions?

La polémique enfla durant toute la semaine. Je refusai d'y participer, et quand Jean-Pierre Elkabbach me téléphona, le vendredi matin, pour me faire part de sa décision de mettre à l'antenne Bouillon de culture avant «Bas les masques», je lui dis mes réticences : beaucoup de téléspectateurs ne seraient pas au courant du changement; les «fans» de Mireille Dumas seraient furieux; des téléspectateurs, non prévenus, allaient rater Rushdie; je n'avais pas l'intention de faire pour le début de soirée une émission qui serait plus accessible que celle prévue pour la fin. Mais le patron de France 2 maintint son défi courageux et je le relevai avec pugnacité.

En «parts de marché», l'Audimat de Bouillon de culture fut évidemment catastrophique. Et comme Mireille Dumas avait dignement traité un sujet plus douloureux que racoleur — une émission un peu moins longue n'eût pas déclenché cette tempête en remontant Bouillon de culture à son heure habituelle, vers 23 heures —, la polémique continua les jours suivants, mais cette fois en faveur des transsexuels.

Non prévenus de l'interversion des deux émissions, des téléspectateurs qui découvraient, stupéfaits, Salman Rushdie en première partie de soirée, en avaient conclu que seule sa mort pouvait expliquer cet horaire miraculeux. Ne sachant pas non plus que l'émission avait lieu en direct, ils en avaient conclu : « Ça y est, ils l'ont eu ! »

S

Soljenitsyne

J'ai raconté dans la première partie de ce livre mes deux premières rencontres avec Alexandre Soljenitsyne, l'une dans le studio d'Apostrophes — il venait d'être chassé d'U.R.S.S. et prenait le chemin de l'exil, en Amérique —, l'autre dans sa propriété du Vermont.

Alors que, en sens inverse, il était de passage à Paris avant son retour en Russie, je le reçus (le 17 septembre 1993) dans le studio de Bouillon de culture — pour une émission diffusée exceptionnellement à 20 h 50. J'eus donc l'occasion de lui dire que, lorsqu'il m'avait déclaré, au terme de ma visite aux États-Unis : « La certitude du retour ne me quitte pas. Mon sentiment profond est que je rentrerai vivant dans ma patrie », j'étais convaincu que l'Histoire lui donnerait tort... Elle lui donnait magnifiquement raison. Son invincible intuition ne l'avait pas trompé.

Puis, cinq ans après, à la Toussaint 1998 — c'était aussi la Toussaint quand j'avais débarqué dans sa maison des bois, aux États-Unis —, je lui rendis visite chez lui, dans une vaste demeure située à vingt kilomètres de Moscou. Quelques jours après, il aurait quatre-vingts ans.

Sa victoire sur le communisme ne l'avait pas changé. Aucune arrogance, même pas un peu d'orgueil qui eût été très légitime. Une grande satisfaction toutefois à se rappeler comment, dès son retour par Vladivostok, il avait été accueilli en héros par le peuple russe. Et de la tristesse dans la voix quand il évoquait son incapacité à influencer les dirigeants du pays, souvent méfiants envers sa personne, quand ils ne lui étaient pas hostiles. Enfin, un immense chagrin de voir la Russie aller à vau-l'eau.

Avec la nature et l'odeur de la terre natale retrouvées, il s'était remis à écrire des poèmes en prose, genre littéraire abandonné en Amérique. Infatigable, il était au travail chaque matin, quand la maison dormait. Je renouais avec cet extraordinaire privilège d'entrer dans l'intimité d'un homme en qui un siècle, un pays et une résistance s'étaient incarnés. Comment ne pas être impressionné par ce géant du verbe au corps penché sur des feuillets couverts de lignes serrées où ses doigts, munis d'une lame de rasoir, raturaient des mots?

Le soir, faveur exceptionnelle, Alexandre Soljenitsyne et sa femme nous invitèrent, ainsi que son éditeur Claude Durand, et son traducteur Nikita Struve, dans un restaurant huppé où l'arrivée de l'écrivain fit sensation. Il n'était pas familier des lieux, on s'en doute. C'est lui qui leva son verre de vodka pour un premier toast. À tour de rôle, nous bûmes à la santé des Soljenitsyne et de leurs trois fils, à la prospérité de Moscou, de la Russie, de la France, des éditions Fayard, à la liberté, à la paix, etc.

Rencontrerai-je une cinquième fois l'auteur du *Premier cercle*? Je fis un vœu sans trop y croire. Mais je n'avais pas cru non plus que j'irais, un jour, le filmer chez lui, en Russie.

T

Tbilissi

Alexandre Tarta, qui parle russe, expliqua dès le premier jour aux techniciens de la télévision géorgienne comment se tournerait Bouillon de culture et ce qu'il attendait de chacun. Quelle ne fut pas sa surprise, le lendemain, de ne retrouver aucun des techniciens de la veille et d'apprendre que, le jour suivant, ce sont encore d'autres hommes qui se présenteraient. On lui expliqua que ce système de rotation permettait à plusieurs employés d'occuper le même poste et de recevoir un salaire, au demeurant très maigre.

Le studio de la télévision géorgienne était d'un autre âge, avec de lourdes et antiques caméras qui s'étaient compromises en cadrant pas mal de staliniens. Mais Alexandre Tarta releva le défi et, quoique les cadreurs fussent étonnés de devoir filmer pendant une heure et demie d'affilée, sans pause syndicale ou arrêt-buvette, il obtint de tous un travail d'une qualité au départ inespérée, qui les remplit d'une juste fierté.

J'avais décidé d'aller à Tbilissi parce que l'ambassadeur de France, M. Bernard Fassier, m'avait alerté sur la francophilie d'une petite élite culturelle, éprise d'Alexandre Dumas — qui publia de merveilleuses pages sur son voyage dans le Caucase —, de Victor Hugo, de Baudelaire et d'Albert Camus.

Séparée de la Russie, déchirée par une guerre civile et une partition ethnique, la Géorgie, fin 1995, était un pays encore en proie à l'insécurité. Elle payait cher son indépendance. L'électricité était coupée en plein hiver, sans préavis, parfois pendant dix-huit heures de rang. Régnaient la pauvreté et l'inorganisation. Mais Edouard Chevarnadze, président de la République, qui avait échappé de justesse à un attentat, commençait à remettre de l'ordre. Pendant notre séjour, un arrogant chef de la mafia géorgienne, que nous avions croisé dans les bains turcs, avait été arrêté et emprisonné.

C'est dans ce contexte de dénuement et d'incertitude que des femmes — professeurs, traductrices, cinéastes, etc. — enseignaient le français à des centaines de jeunes élèves, leur faisaient répéter des scènes de Molière, réciter des fables de La Fontaine, chanter des

chansons de Charles Trénet — tout cela sans livre, sans disque, avec des moyens dérisoires et un enthousiasme énorme. L'une d'elle projetait même de créer un collège auquel elle donnerait le nom de Saint-Exupéry...
L'émission fut un émouvant et pressant appel à l'aide de la France. A-t-il été entendu ? Plus de cinq ans après, je devrais avoir la curiosité civique d'y aller voir.

V

Vérité
« Croyez ceux qui cherchent la vérité, doutez de ceux qui la trouvent. » André Gide.

Annexe

Fiche technique de Bouillon de culture

Titre : Bouillon de culture.

Producteurs : France 2 et Bernard Pivot.

Animateur : Bernard Pivot.

Réalisateurs : Alexandre Tarta, Élisabeth Preschey, Michel Hermant.

Décorateur : Michel Millecamps.

Assistante de l'animateur, coproductrice et chargée du théâtre : Anne-Marie Bourgnon.

Assistants des réalisateurs : Claudine Séry-Robin (1991-1992), Marc Beauchêne (1992-2001).

Conseillers : Marie-Claude Arbaudie (cinéma), Pierre Boncenne et Marianne Payot (livres).

Assistantes : Jeanne Ryckmans, puis Catherine Noël (musique) et Sylvaine Olive (arts).

Documentalistes : Françoise Chadaillac (1991-1999), Patrick Nicoletta (premier semestre 2000), Dominique Froissant (2000-2001).

Productrice des émissions à l'étranger : Bérengère Casanova (Équipage).

Scriptes : Miléna Hirsch, Hélène Merlet, Nicole Nicole, Odile Rocher, etc.

Générique : Christian Janicot (Noé Productions).

Musique du générique : *The Night Has a Thousand Eyes*, interprété par Sonny Rollins.

P-D.G. de France 2 : Philippe Guilhaume, Hervé Bourges, Jean-Pierre Elkabbach, Xavier Gouyou-Beauchamp, Marc Tessier.

Directeur artistique du département culture : Marc de Florès.

Administratrices : Danielle Rambaudon, Geneviève Broust, Anh Roquet.

Où : studio Pierre Desgraupes, au siège de France Télévision.

Quand : d'abord le dimanche, puis le samedi, enfin le vendredi, en deuxième partie de soirée.

Comment : en direct, pendant 75 minutes.

Quoi : magazine culturel (lettres, arts, spectacles, musique) dans les premières années, puis essentiellement littéraire dans les dernières.

Avec qui : les créateurs (écrivains, metteurs en scène, comédiens, peintres, etc.).

Bilan : 407 émissions, du 12 janvier 1991 au 29 juin 2001.

Récompenses : un 7 d'or ; prix de la Langue française 2000 décerné à la Foire du livre de Brive.

I

APOSTROPHES

II

BOUILLON DE CULTURE

COLLECTION FOLIO

Composition Bussière
et impression Bussière Camedan Imprimeries
à Saint-Amand (Cher), le 8 juin 2001.
Dépôt légal : juin 2001.
Numéro d'imprimeur : 13015-012378/1.
ISBN 2-07-041949-5./Imprimé en France.